M COMME MOMIE

Données de catalogage avant publication (Canada)

Brien, Sylvie, 1959-

M comme momie
(Caméléon)
Pour les jeunes de 9 à 11 ans.
ISBN 2-89428-826-3

I. Titre. II. Collection: Caméléon (Hurtubise HMH (Firme)).

PS8553.R453M22 2005 jC843'.6 C2005-941000-0
PS9553.R453M22 2005

Catalogage avant publication de Bibliothèque et Archives Canada

Les Éditions Hurtubise HMH bénéficient du soutien financier des institutions suivantes pour leurs activités d'édition:

- Conseil des Arts du Canada;
- Gouvernement du Canada par l'entremise du Programme d'aide au développement de l'industrie de l'édition (PADIÉ);
- Société de développement des entreprises culturelles du Québec (SODEC);
- Gouvernement du Québec par l'entremise du programme de crédit d'impôt pour l'édition de livres.

Éditrice jeunesse: **Nathalie Savaria**
Conception graphique: **Marc Roberge**
Illustration: **Marie Lafrance**
Mise en page: **Diane Lanteigne**

Éditions Hurtubise HMH ltée
Téléphone: (514) 523-1523 - Télécopieur: (514) 523-9969
www.hurtubisehmh.com

ISBN 2-89428-826-3

Distribution en France
Librairie du Québec/D.N.M.
Téléphone: 01 43 54 49 02 - Télécopieur: 01 43 54 39 15
Courriel: liquebec@noos.fr

Dépôt légal/3e trimestre 2005
Bibliothèque nationale du Canada
Bibliothèque nationale du Québec

Imprimé au Canada

SYLVIE BRIEN

M COMME MOMIE

CAMÉLÉON

Sylvie Brien a été notaire et juriste plusieurs années avant de se consacrer entièrement à son plus grand rêve d'enfance : l'écriture.

Auteure de la série jeunesse *Pierrot et le village des fous* (dont *Le spectre* a été choisi comme l'un des coups de cœurs 2002 par la revue *Lurelu*) et des *Enquêtes de Vipérine Maltais* aux Éditions Gallimard, elle écrit aussi des romans pour adultes. Son écriture se distingue essentiellement par une passion inassouvie pour l'histoire, alliée à un mélange très particulier d'humour, de suspense et de mystère. Fervente adepte de la pensée positive et des phénomènes inexpliqués, la romancière signe, avec *M comme momie,* son deuxième roman jeunesse aux Éditions Hurtubise HMH, qui met de nouveau en scène les personnages de *La Fenêtre maléfique*.

À mon frère Mario

1
Rita lèche-bottes

Juillet boudait-il Montréal ? Depuis que l'été 1931 s'était pointé le nez, on aurait dit que la ville refusait de sortir de la douche, où elle se ratatinait comme une vieille pomme. Ce matin encore, l'eau qui ruisselait dans les ruelles du quartier avait court-circuité tous nos jeux extérieurs. Et notre humeur comprimée entre quatre murs devenait aussi exécrable que le poisson de l'épicière Leduc que maman cuisinait malheureusement ce midi-là.

— Du hareng ? s'exclama Rita. Avec des frites, c'est bon, maman !

Lèche-botte, va. Ma sœur dévêtit sa poupée, la rhabillant pour la dixième fois avec sa robe rouge, avant de lui chanter une comptine idiote. Je trouvais ce jeu de filles complètement stupide. Mais maman l'encourageait puisqu'elle avait confectionné pour sa « petite cigale adorée » une robe identique à celle de la poupée.

Sagement installé à la table de la cuisine avec Adrien, je soupirai puis complétai avec application mon dessin sur du papier kraft, la langue retroussée entre les dents. À cause de la crise économique, le fameux méchant krach, le papier blanc était devenu une denrée rare et coûteuse, et presque tout le monde était pauvre, maintenant. Aussi recyclions-nous tout ce qui nous tombait sous la main, du papier de boucherie aux vieux bouts de carton trouvés dans les poubelles.

J'ébauchais l'aéroplane de mes rêves, celui que je piloterais quand je serais grand. La radio installée dans un coin diffusait en sourdine une chanson de la Bolduc que j'affectionnais particulièrement, celle du *R-100*. Le refrain immortalisait le passage du gigantesque dirigeable britannique au-dessus de Montréal l'été précédent, un ballon de 156 tonnes que j'avais eu la chance de contempler pendant de longues minutes avec Adrien et grand-papa. Au moment où je reprenais le refrain, ma peste de sœur m'arracha mon crayon. Je bondis aussitôt sur mes jambes pour le lui reprendre, mais le monstre hurlant se réfugia près de ma mère.

— Julien Farineau, on ne court pas dans la maison et on ne se chamaille pas, m'avertit maman en haussant la voix.

— Elle m'a volé mon crayon rouge! protestai-je.

— Ta sœur n'a que quatre ans et demi et tu en as douze! C'est donc à toi d'être le plus raisonnable, rétorqua-t-elle en serrant sa petite chérie dans son tablier.

Le verdict était sans appel et il n'était surtout pas question de désobéir. Si je l'avais fait, maman m'aurait servi sa sempiternelle menace « Quand ton père va monter... », en faisant allusion à la *strap* reléguée en haut du placard. L'évocation de cette lanière de cuir maudite, usée de temps à autre sur nos postérieurs, nous terrorisait plus que tout, mon frère et moi. Rita me fit un pied de nez et je me rassis, furieux. C'était chaque jour plus évident et plus injuste : de nous trois, c'était ma sœur que maman préférait. Et mon jumeau et moi écopions, que nous soyons ou non dans notre tort.

Ma mère s'affaira à remplir la bouilloire avec la pompe à eau, puis la déposa sur le rond brûlant du poêle. Elle s'essuya le front et se massa le bas du dos. Son gros ventre proéminent qui pointait vers l'avant me la rendait soudain un peu fragile. Le bébé arriverait pour la rentrée des classes, ce qui n'était pas trop tôt, mais j'espérais surtout que ce ne soit pas une autre fille. L'horloge du salon sonna midi.

— Libérez ma table, les garçons, décréta maman. Mon dîner est prêt, votre père va monter.

— Pousse-toi de là, Ti-Tas ! ordonnai-je à Rita, en confisquant aussitôt sa poupée.

— Maman, il m'a encore appelée Ti-Tas ! gémit-elle. Tiens, méchant, tiens !

Ce disant, elle déchira mon fabuleux dessin. Ma mère ne dit rien, évidemment, puisque sa cigale avait toujours raison. Elle empoigna plutôt le chaudron d'huile bouillante pour transvider ses frites dans une grande assiette sans plus se préoccuper de nous.

Je me mis à poursuivre Rita à travers la pièce pour lui donner la raclée qu'elle méritait. J'étais vraiment furibond. C'est ce moment précis que ma sœur choisit pour se suspendre au tablier maternel. Les images se mirent à défiler comme dans un film qu'on aurait passé au ralenti : je vis l'huile se déverser sur la tête rousse de Rita, dégouliner sur ses épaules jusque dans son dos. Le court silence qui suivit fut brusquement déchiré par le hurlement terrible, presque inhumain, de ma petite sœur ébouillantée. Une odeur de chair grillée remplit aussitôt la cuisine.

Rita tomba sur le plancher. Ploc. Presque sans bruit, comme sa poupée de chiffon Pétronille. Sur l'entrefaite, la porte s'était ouverte sur mon père. Il portait encore son tablier taché de charbon. Papa avait la stature d'un géant et la force d'un ours; j'en avais peur depuis que j'étais tout petit. Il se précipita sur Rita, l'arracha des mains tremblantes de ma mère agenouillée, la prit délicatement dans ses bras:

— Tite-fille, ma Tite-fille !

— C'est la faute à Julien, gémit-elle, à demi évanouie.

— Attends que je revienne, toi, grommela-t-il en brandissant un index menaçant dans ma direction.

Rita dans les bras, il se dirigea tout de go dans l'escalier. Ma mère lui emboîta le pas et j'entendis la camionnette de livraison partir en trombe. Le crissement des pneus s'éteignit lorsque le véhicule fut rendu au bout de la rue, me laissant les bras ballants et le cœur en compote.

2

Fuite et fugue

Je marchai vers la chambre d'un pas lugubre et résolu, Adrien sur les talons. Nous n'échangeâmes aucun mot; les paroles auraient été aussi inutiles qu'encombrantes. D'ailleurs, à quoi bon parler? Nous nous comprenions « par transmission de pensée » comme le répétait depuis toujours mon grand-père à qui voulait bien l'entendre.

« Papa allait me tuer, c'était certain. Et si je ne mourais pas sous les coups de sa *strap*, pensai-je, mon état serait si pitoyable que ça ne vaudrait pas mieux. »

Je récupérai sans hâte le vieux sac en toile à sangle qui croupissait depuis des mois au fond d'un tiroir du semainier pour y fourrer quelques vêtements. Saisissant sur une tablette l'avion miniature que pépère Bérard m'avait offert à mon dernier anniversaire, je le déposai dans la paume de mon frère:

— Ça sera ton souvenir de moi.

— Où vas-tu aller? me demanda Adrien d'une voix éteinte, en se mordant la lèvre inférieure.

Il était pâle comme la mort. Mon jumeau était non seulement mon meilleur ami, mais aussi mon portrait tout craché. Il avait la tête aussi blonde et aussi bouclée que la mienne, un nez retroussé identique, la même taille de vêtements, la même pointure de chaussures. La seule chose qui nous distinguait, du moins physiquement, c'était la couleur de nos yeux: les siens étaient marron, les miens bleus.

— Je vais au port. Je m'embarquerai sur le premier cargo, décidai-je.

Je m'imaginais déjà, pourchassé par la police comme un assassin, tous phares braqués sur moi. Peut-être me tirerait-on même à bout portant comme un lapin?

Une larme roula sur ma joue écarlate, que j'essuyai d'une main furtive.

— J'ai pas fait exprès, Adrien, bégayai-je. Tu sais que je l'aime, Ti-Tas, je ne voulais pas lui faire de mal.

— Je sais, ne t'en fais pas. Je vais m'ennuyer de toi…

Je dévalai l'escalier pour fuir l'avalanche de nos larmes. Je devinais derrière les tentures de la chambre le regard de mon frère, un regard qui me poursuivait comme un chien fidèle. J'étais si bouleversé que je traversai la rue sans regarder, ce qui provoqua aussitôt un concert de klaxons.

— Tu vas à ton enterrement, petit imbécile ? hurla un automobiliste en brandissant le poing.

Je haussai les épaules : aurait-il pu m'arriver quelque chose de pire que l'accident de Rita ? Mourir tout de suite ou mourir plus tard, peu m'importait à présent : mes parents ne me pardonneraient jamais ce qui était arrivé à Rita. Ce chauffeur avait raison : je n'étais qu'un imbécile.

La 7e Avenue était une artère commerciale fort achalandée mais très étroite, encombrée de chevaux, de charrettes et de voitures de livraison de tout acabit. Néanmoins, la pauvreté qui sévissait dans ce quartier de Saint-Henri me semblait pire que partout ailleurs à Montréal. Saison après saison, cette rue attirait comme un aimant les plus misérables de la métropole.

Ma famille, elle, logeait au-dessus du commerce de bois et de charbon qu'exploitait mon père. Nos voisins immédiats, une épicière, un cordonnier et un ferrailleur, n'en menaient pas plus large que nous, le krach ayant mené le quart de la population de la ville au chômage. Malgré tout, j'adorais ce quartier plein de vie qui sentait le crottin de cheval. Rien ni personne, avant aujourd'hui, n'aurait réussi à me le faire quitter. Je levai un œil vers la galerie des Chabot, dans l'espoir d'y apercevoir pour la dernière fois ma copine Ariane.

En avril dernier, les siens avaient emménagé juste en face de chez nous, dans un minuscule logement appartenant à mon grand-père, au-dessus d'une ancienne laiterie. Adrien et moi nous étions finalement liés d'amitié avec l'aînée de cette famille aussi aimante et attachante que sans le sou*, dont j'aurais voulu secrètement faire partie. Je m'y sentais si bien, si apprécié ! Ce n'était pas comme chez moi.

Puisque le balcon des Chabot était désert, je passai mon chemin. Puis, je revins sur mes pas, envahi par une idée saugrenue. Après avoir grimpé quatre à quatre l'escalier de bois délabré, je grattai résolument à la porte. Ce fut Ariane elle-même qui m'ouvrit. J'agrippai avec fermeté une de ses longues nattes d'ébène, attirant son visage tout contre le mien.

— Il faut que tu m'aides, chuchotai-je, en jetant des regards apeurés autour de moi.

* Voir dans la même collection *La Fenêtre maléfique.*

Je devais avoir la mine bien basse, car Ariane, à l'ordinaire si gaie, fronça les sourcils et me poussa résolument dans la cuisine, où toute sa famille était attablée autour d'un plat de fèves au lard à la mélasse. Berthe, Jeanne et Margot, qui avaient respectivement onze, sept et six ans, s'arrêtèrent de mastiquer. Madame Chabot cessa de nourrir son bébé et leva sur moi un visage étonné. Je rougis de gêne, car il est très impoli de déranger les gens à l'heure des repas.

— Adrien ? demanda-t-elle.

— Non, madame, moi, c'est Julien.

— Quelque chose ne va pas, mon garçon ? Tu es bien pâle. Que fais-tu avec ce sac de postier ?

— Je... je... c'est-à-dire que...

Je me dandinai sur un pied, puis soudain j'éclatai en petits sanglots désespérés, incapable de contenir davantage l'immense détresse qui me nouait la gorge. On me fit asseoir, on m'entoura, on me tapota la main et je racontai en reniflant tout ce qui venait de se passer à la maison. À l'annonce de l'accident, les yeux de mes hôtes s'arrondirent de stupeur.

— Cachez-moi, sinon mon père va me battre, suppliai-je enfin.

Madame Chabot me caressa la tête avec calme. Cette femme à la chevelure noire était bonne et douce comme du pain de ménage.

— Ce n'est pas ta faute, Julien, c'était un accident, me réconforta-t-elle. Je parlerai à tes parents, ils comprendront. Mais ce soir, si tu veux, tu dormiras ici, avec nous.

J'acquiesçai, la mort dans l'âme.

Dès lors, tapi derrière les rideaux jaunis, je guettai d'un œil perçant le retour de la camionnette de mon père. De temps à autre, je voyais Adrien écarter les tentures de notre chambre et me faire un petit signe encourageant de la main. Planté devant la fenêtre, il n'avait évidemment rien manqué de ma fugue chez les Chabot. Je me demandais s'il avait mis pépère Bérard au courant de ma cachette. Le bon vieillard logeait chez nous depuis la mort de grand-maman et je ne voulais pas qu'il se fasse du souci pour moi.

Quand monsieur Chabot rentra de son travail à la biscuiterie, vers minuit et demi, il me trouva endormi sur une chaise, le nez appuyé contre la fenêtre du salon. Mes parents n'étaient toujours pas revenus de l'hôpital.

À l'aube, un puissant tambourinement nous réveilla tous en sursaut. Je courus aussitôt me cacher dans la chambre où dormaient Ariane et ses trois sœurs, tandis que monsieur Chabot enfilait une robe de chambre pour aller ouvrir.

— Mon vaurien de fils serait-il chez vous, par hasard ? entendis-je tonner la voix de papa.

Je tremblais de tous mes membres et j'avais mal au ventre. Il y eut des murmures, que je ne parvins ni à comprendre ni à déchiffrer : mes dents claquaient si fort que le bruit qu'elles faisaient recouvrait tout. Je compris alors qu'Édouard Chabot plaidait pour ma défense. Les pourparlers durèrent quelques minutes, puis le paternel d'Ariane se pointa dans la chambre. Il s'approcha de moi avec douceur et déposa une main chaude sur mon épaule.

— Retourne chez toi, Julien, annonça-t-il d'une voix émue. Ta petite sœur vient de mourir.

3

Destinataire inconnu

Une semaine avait passé. Papa ne m'adressait plus la parole. Pis encore, il m'ignorait totalement. Ses yeux rougis glissaient sur moi comme si j'avais été transparent, ce qui me donnait l'impression de compter autant pour lui qu'une livre de beurre. Étrangement, cette indifférence glaciale me blessait bien davantage que s'il m'avait battu avec sa satanée courroie de cuir.

La maison, transformée pour trois jours en salon mortuaire, avait enfin retrouvé toute sa tranquillité. Le grand sofa et la table à café avaient repris leur place au salon pour supplanter le petit cercueil en bois blond et ses poignées dorées. Les couronnes mortuaires et le prie-Dieu avaient disparu. Les murmures navrés des visiteurs, le brouhaha et la parenté s'étaient peu à peu éclipsés, emportant avec eux l'odeur tenace des fleurs fanées qui me levait tant le cœur. Tout paraissait être redevenu comme avant... tout, sinon l'absence terrible de ma petite sœur.

La dernière image que j'avais gardée d'elle était plus qu'effrayante. Couchée dans la tombe dans sa robe rouge du dimanche pareille à celle de sa poupée Pétronille, Rita semblait dormir, un chapelet en grains de cristal enroulé autour de ses doigts menus. « Quelle souffrance, pauvre enfant », chuchotait-on autour de moi en me lançant des regards accusateurs. Le profond sentiment de culpabilité que je ressentais me donnait envie de mourir. Si seulement j'avais obéi à maman, si seulement je n'avais pas pourchassé Ti-Tas dans la cuisine... Le visage de ma petite sœur avait pris l'aspect et la couleur de la peau du petit Jésus de cire qu'on déposait dans la crèche le soir de

Noël. Je l'avais touché pour m'assurer que ma sœur était bien morte. Au contact de la joue glacée, j'avais ressenti des picotements bizarres.

Ce matin, ma bouillie d'avoine était glacée, elle aussi, et, malgré tous mes efforts, je ne parvenais pas à m'en mettre une seule bouchée sous la dent.

— Tu n'as pas encore mangé ta soupane, remarqua ma mère, qui picorait elle-même un bol toujours plein. À ce rythme-là, tu vas tomber malade. Force-toi donc un peu. Adrien est raisonnable, lui.

Il n'y a pas de pire épreuve, je crois, que celle de manger quand l'appétit n'est pas au rendez-vous. Heureusement pour moi, papa n'était pas là. « Pense aux petits Chinois qui meurent de faim », m'aurait-il vertement rabroué. Mon gruau, je l'aurais bien envoyé par aéroplane, moi, si je l'avais pu, aux enfants qui souffrent de famine. Pépère leur envoyait bien des sous chaque mois ! Chez nous, c'était tout à fait impossible de gaspiller quelque nourriture que ce soit.

Nous aurions pu être assis des heures à pleurer devant une assiette pleine, nous ne pouvions quitter la table sans l'avoir préalablement vidée.

— Tu es cerné jusqu'au menton, mon pauvre petit, me plaignit encore maman en caressant ma tignasse. Tu as encore crié, la nuit dernière. Tes cauchemars réveillent ton père. Fais donc attention...

Ma mère adorée semblait m'avoir pardonné, contrairement à papa. Je me mordis les lèvres, ravalant une réplique qu'elle aurait jugée grossière. Je n'y pouvais rien, moi, si Rita venait me visiter dans mon sommeil. Depuis les funérailles, c'était chaque nuit le même scénario : je me réveillais d'abord en sueur, terrifié, croyant voir son spectre vaporeux flotter dans les airs. Rita s'avançait vers moi, emmaillotée dans les bandages qu'on lui avait faits à l'hôpital. Ça lui donnait l'apparence d'une momie.

Des mots accusateurs retentissaient ensuite à mes oreilles, ceux-là mêmes qu'elle avait prononcés pour la dernière fois dans la cuisine : « C'est la faute à Julien. » Je hurlais si fort qu'Adrien s'éveillait pour ouvrir la lumière. Mon frère avait beau me jurer qu'il ne voyait rien, Ti-Tas était toujours là, devant mes yeux. Je finissais par me rendormir avec la lampe allumée, pelotonné dans le lit de mon jumeau. Si quelqu'un d'autre que lui m'avait vu, il m'aurait pris pour un dément.

Ce matin, maman ne s'était sans doute pas regardée dans la glace pour me faire une pareille remarque. Bien qu'elle passât maintenant tous ses après-midi au lit à cause du bébé qui s'en venait, de profonds cernes noircissaient ses yeux creux et vitreux, ce qui la rendait de plus en plus méconnaissable. Raisonnable, disait-elle ? Comment pouvais-je l'être si je n'étais qu'un imbécile ?

Fort heureusement pour mon estomac, la sonnette d'entrée retentit à ce moment-là. C'était Ariane. Je reconnus dans ses mains la sacoche de postier, marquée des initiales CPO (pour Canada Post Office) et de l'effigie de Sa Majesté, que j'avais oubliée chez elle dans les jours précédents.

— Sauvé par la cloche, soupira ma mère en me chassant d'un geste. Bon, allez jouer dehors, les enfants.

Ce matin encore, il tombait des cordes et on aurait pu boire debout. Calés dans les chaises défoncées de la galerie du deuxième sur laquelle nous nous étions réfugiés, Adrien et Ariane se mirent à fanfaronner. Je les soupçonnais de vouloir me dégriser de cette humeur morbide qui m'enveloppait depuis la mort de Rita. Ils se mirent à se lancer mon sac à bandoulière comme ils l'auraient fait pour un ballon de football. Au moment où j'allais intercepter ma besace, elle passa au-dessus de ma tête, franchit la rampe et tomba en bas du balcon. Ayant dégringolé l'escalier sous l'averse et les éclats de rire de mes comparses, je retrouvai les vêtements épars et détrempés. Mes amis me rejoignirent. Mon frère s'enfila le sac sur le crâne comme un couvre-chef.

— Il y a quelque chose de caché là-dedans, déclara-t-il tout à coup en se découvrant la tête. On dirait qu'il y a un double fond.

De timides rayons perçaient les nuages noirs et la pluie acariâtre semblait enfin vouloir abdiquer. Ariane et moi ramassâmes consciencieusement les vêtements dans le but de les suspendre sur la corde à linge. Après avoir examiné avec soin le sac, mon jumeau retourna la doublure de toile effilochée d'un geste lent et calculé. Sous nos yeux ahuris, il en retira une vieille enveloppe jaunie. Je la lui arrachai des mains pour tenter de lire ce qu'on y avait griffonné à l'aide d'une mauvaise plume Fontaine. L'écriture était nerveuse, serrée, presque indéchiffrable; on aurait dit la piste d'une mouche ivre, qui se serait baignée dans la *baboche* fabriquée par pépère, c'est-à-dire dans l'alcool frelaté.

— Laisse-moi voir, fit Ariane, en s'emparant à son tour de la lettre. Ça alors, mais c'est une lettre qui n'a jamais été décachetée ! Que c'est mal écrit ! Je reconnais bien là l'écriture d'un garçon ! « Destinataire inconnu ». C'est tellement illisible que je comprends pourquoi le facteur n'a pas fait la livraison !

Elle éclata de rire, puis plissa les yeux en grimaçant.

— Elle est adressée à « Madame Ozias Blanchette, à je ne sais quel numéro, terrasse Molson, Montréal », parvint-elle à lire au bout d'un moment. Je me demande où ça se trouve, ça...

— Madame Ozias ? m'étonnai-je. Tu parles d'un prénom pour une femme !

— C'est celui de son mari, cornichon ! pouffa mon frère.

— C'est bizarre, le timbre n'a même pas été estampillé, poursuivit notre copine, les pupilles dilatées par l'effort. L'envoyeur n'a même pas songé à indiquer son nom et il a collé le timbre du roi d'Angleterre à l'envers.

— Qu'attends-tu pour l'ouvrir ? m'impatientai-je en tapant du pied.

— Tu veux rire ? s'insurgea-t-elle. Ce courrier ne nous est pas destiné ! D'ailleurs, je me demande bien où tu as déniché ce sac.

— Au sixième étage de l'édifice de la Sun Life, répondis-je avec un petit air suffisant.

— Quoi ? Tu es allé dans le plus haut gratte-ciel de la ville ?

— Oui, madame, celui qui a vingt-six étages.

— C'est pépère Bérard qui nous y a amenés l'été dernier. Nous voulions voir le R-100 d'un peu plus près, expliqua Adrien. La construction de la Sun Life était presque achevée. Un ami de grand-papa travaillait comme maçon sur le chantier, alors...

Ariane arrondit des yeux envieux. Quel Montréalais n'avait pas rêvé d'observer le fabuleux ballon dirigeable d'aussi haut ?

— Chanceux ! Quand j'ai visité cet immeuble avec ma marraine il y a quelques années, l'édifice ne comptait que six étages. Mais quel est le rapport avec le sac de courrier ?

— Au sixième étage, en visitant, nous avons escaladé de vieilles caisses empilées dans un coin, me remémorai-je. L'une d'elles s'est défoncée sous notre poids. Dedans, j'ai trouvé cette vieille sacoche vide et poussiéreuse, que l'ami de notre grand-père m'a proposé de garder en souvenir du R-100.

— C'est bizarre de trouver un sac de postier dans un endroit pareil ! Un voleur de courrier s'en est peut-être débarrassé dans l'immeuble en construction ? commenta Ariane.

— Un voleur de courrier... reprit Adrien d'un ton moqueur.

— Allons porter la lettre au bureau de poste, l'interrompit notre résolue copine.

— Et si nous la livrions nous-mêmes ? rétorquai-je, soudainement inspiré par une bonne action qui me rachèterait quelque peu de la mort de Rita.

— Génial ! s'exclama Adrien en m'assénant une grande claque dans le haut du dos. Je te reconnais enfin, mon frère ! Peut-être cette madame Blanchette nous offrira-t-elle une récompense ?

Une récompense qui, avec un peu de chance, me servirait à payer un lampion pour Rita à l'oratoire Saint-Joseph... et à acquérir le nouveau modèle réduit d'aéroplane exposé dans la vitrine du magasin Dupuis Frères.

Je me frottai l'omoplate en grimaçant de douleur. Un sourire me retroussa bientôt la commissure des lèvres. Je me sentais revivre. La trouvaille de cette missive, en apparence anodine, allait comme par miracle reléguer mon chagrin au fond du tiroir aux oubliettes. Du moins pour quelque temps.

4

Mission missive

Pour en savoir davantage sur la terrasse Molson, nous avions bombardé grand-père Bérard de questions. À en croire le vieil homme «qui savait presque tout», celle-ci avait été érigée au milieu du XIXe siècle sur un emplacement appartenant à la famille du même nom, à laquelle j'associais spontanément la bière. À l'origine, cet ensemble de dix maisons en rangée avec vue sur le fleuve était ce qu'il y avait de plus chic et de plus bourgeois en ville.

— Votre grand-mère habitait cette terrasse quand je la courtisais, soupira pépère, occupé à cirer ses chaussures sur le balcon d'en avant. Je me rappelle les colonnes plantées de chaque côté de la porte de l'appartement où logeait ma belle Elmire, et la rampe en fer forgé du balcon où nous nous bécotions. Il y avait à droite deux œils-de-bœuf magnifiques.

— Les voisins élevaient des vaches ? s'étonna franchement Ariane.

Le vieil homme aux cheveux tout blancs éclata de rire.

— Les œils-de-bœuf sont des fenêtres rondes, expliqua-t-il avec patience.

— Aujourd'hui, rien de tout ça n'existe plus, pépère ? s'inquiéta Adrien, qui, muni d'une brosse douce, aidait le vieillard à parachever le cirage d'une bottine.

Notre grand-père caressa sa moustache immaculée, la tachant par mégarde avec le noir à souliers dont ses doigts étaient enduits.

— Les industries ont poussé comme des champignons et le quartier s'est terriblement appauvri avec les années, avoua-t-il. La terrasse Molson a été rasée pour permettre de moderniser la brasserie. Je vous y aurais volontiers accompagnés, mais je dois travailler à la soupe populaire aujourd'hui. Mes affamés comptent sur moi. La soupe de la Saint-Vincent-de-Paul, c'est sacré ! Mais l'endroit est facile à trouver, mes enfants. Dis-moi, Julien, tu as pu avaler un petit quelque chose, ce matin ?

Je ne répondis pas, préférant plutôt faire dévier la conversation sur le trajet que nous aurions à parcourir. Le généreux sexagénaire me glissa alors quelques sous dans la paume :

— Allez-y donc en tramway ! Ça te changera les idées, fiston !

Quel cadeau magnifique ! Une bouffée de chaleur se diffusa immédiatement dans toute ma poitrine pour m'embuer les yeux. Après avoir bredouillé des remerciements remplis d'émotion, nous nous mîmes en route, enthousiastes à l'idée de monter seuls en « p'tit char ». Prendre le tramway était en effet un vrai luxe à cause de la pauvreté qui sévissait dans la ville, mais nous nous y adonnâmes sans l'ombre d'un remords. Après tout, ne le faisions-nous pas pour rendre service à madame Ozias ? Nous optâmes pour le parcours le plus long afin que notre plaisir se prolonge une partie de l'avant-midi. Le nez collé contre la vitre du char numéro quinze, nous fîmes à deux reprises le tour de la ville, contemplant les devantures des grands magasins, les façades des théâtres, des hôtels et des restaurants du square Philips et de la rue Sainte-Catherine. Nous admirions en sifflant les automobiles toutes neuves et rutilantes garées devant le Forum, que les grands arbres abritaient du soleil, avant de détailler d'un œil avisé et gourmand les marchés en plein air bondés de charrettes et de marchands ambulants. Je me serais bien rendu jusqu'au tunnel du Mont-Royal, moi !

Toute bonne chose ayant une fin, et la patience de notre traminot étant plus qu'éprouvée, nous débarquâmes finalement non loin de la brasserie Molson. L'avant-midi était déjà avancé et le grand immeuble moderne projetait une ombre immense dans la rue malpropre, dénuée de verdure. L'odeur âcre de la bière qui se dégageait de l'édifice me donna la nausée.

— Ça pue ! maugréai-je. Je me demande comment les adultes peuvent avaler cette pisse d'âne ! D'ailleurs, maman dit que boire trop de bière, ça fêle le cerveau.

— Papa n'en boit jamais, m'assura aussitôt Ariane.

Mais mon père, si. Les bouteilles vides et brunâtres s'alignaient dans le bas de l'armoire, sous le lavabo de la cuisine. Quand mon paternel en ingurgitait trop, il se mettait à crier des absurdités et perdait toute patience, surtout avec moi. Ce que je détestais par-dessus tout, c'était le bruit des bouchons décapsulés qui roulaient sur le comptoir de l'évier. Pchch... ding !

Après avoir erré un moment autour de la brasserie, nous dûmes nous rendre à l'évidence et admettre que la fameuse terrasse avait été rasée, comme nous l'avait dit pépère. Il nous faudrait à présent glaner des renseignements auprès des passants pressés si nous voulions avancer dans l'accomplissement de notre mission.

— Vous connaissez madame Ozias Blanchette, de l'ancienne terrasse Molson ? leur demandions-nous.

Les gens que nous accostions haussaient les épaules, sans même se donner la peine de répondre. À l'exception du dernier piéton, qui s'arrêta pour se moucher bruyamment.

— Je ne connais pas ce dame, nous répondit-il avec un léger accent anglais.

Habillé d'un veston chic et d'un chapeau de feutre, l'homme enfouit le carré de tissu dans sa poche, puis disparut, avalé par la porte centrale de la brasserie. Adrien trépigna de mécontentement, envoyant valser au loin un gros morceau de pavé :

— Selon les statistiques, au moins une personne interrogée sur dix aurait dû se souvenir de cette dame ! Et les chiffres, ça me connaît, moi !

— Demandons aux résidants du quartier, décréta Ariane. Il y a des immeubles d'habitation là-bas...

— Regardez ! Le bonhomme vient de laisser tomber son portefeuille ! l'interrompis-je.

Plus vif que l'éclair, je ramassai l'objet pour m'engouffrer à mon tour, en trombe, dans l'établissement.

— Pas d'enfants ici ! vociféra l'armoire à glace totalement rasée qui s'était postée devant la porte.

Le grand et gros homme affublé d'un képi kaki eut tôt fait de m'agripper par le collet. Je me débattais comme un diable dans l'eau bénite.

— Eh, monsieur, monsieur ? Votre portefeuille ! m'époumonai-je dans la direction précédemment empruntée par mon Anglais.

Ce qui m'assura le résultat escompté. Le *businessman* à chapeau réapparut soudain devant moi, l'air incrédule.

— *My Lord*, mon portefeuille, glapit-il en tâtant la poche de son veston.

Je lui tendis l'épaisse liasse de cuir, un sourire fendu jusqu'aux oreilles :

— Vous l'aviez échappé en sortant votre mouchoir.

— Comment vous remercier, jeune homme ? Vous venez de sauver *la* salaire hebdomadaire de dix ouvriers ! Lâchez *cet* garçon, Joseph !

— Bi... bien, monsieur Brown, hoqueta Jos-bras-de-fer.

C'était bien la première fois que je rencontrais un Anglais qui parlait aussi bien ma langue ! Le patron ouvrit alors son portefeuille pour se saisir d'un gros billet de banque, qu'il me tendit.

— Non, merci, dis-je poliment, comme l'aurait fait tout garçon bien élevé.

— Votre honnêteté doit être récompensée, insista-t-il en me déposant sans ménagement le billet dans la main et en refermant mes doigts dessus. Quel renseignement m'aviez-vous demandé tout à l'heure ? J'étais un peu *distraite*.

— Nous cherchons une dame Ozias Blanchette qui habitait la terrasse Molson.

— *Le* terrasse a été démolie en 1920 pour moderniser *le* brasserie, m'assura-t-il.

C'était une question d'hygiène publique, *do you see*? Les maisons étaient trop *vieux*.

Je dus paraître bien dépité, car monsieur Brown se ravisa aussitôt:

— *I am sorry*... je suis désolé de ne pas vous aider, *but* je vous encourage dans les recherches. Monsieur Lacasse va vous reconduire avec *le* voiture à *le* maison, *isn't it*, Joseph?

— Bi... bien, monsieur.

Je le remerciai chaleureusement puis sortis, son gorille rabougri sur les talons. Le nom de Lacasse lui convenait parfaitement, à celui-là: on aurait dit qu'il voulait me démolir tant il semblait enragé! Dans ma poche, mes doigts ne pouvaient se résoudre à desserrer le billet de cinq dollars. C'était une fortune! La somme représentait sûrement ce que papa gagnait pour tout un mois de travail acharné. Avec cet argent, je pourrais acheter un tas de lampions pour Rita et une tonne de modèles réduits! Adrien et Ariane, qui faisaient le pied de grue devant la porte, allaient en rester bouche bée!

5

Appelez-moi Ex

Entassés à l'arrière de la flamboyante automobile, nous étions aussi terrorisés par notre chauffeur qu'émerveillés par la bifurcation qu'avait soudainement empruntée notre aventure. Du trottoir, les piétons se dévissaient la tête pour suivre du regard la limousine noire dans laquelle nous avions pris place. J'étouffai un ricanement nerveux un peu stupide et je débitai le nom de notre rue.

— Ouvrez bien grands vos yeux, les jeunes, nous lança Joseph Lacasse, les pupilles braquées sur le rétroviseur. Vous êtes les seuls p'tits Canadiens français à faire un beau tour de machine comme ça aujourd'hui !

— Et pourquoi donc ? osa demander Ariane, avant que je ne lui assène un bon coup de coude dans les côtes.

— Les patrons, ici, ce sont les Anglais. Ils sont riches, contrairement à nous. Vous n'avez pas remarqué que toute la ville s'affiche dans leur langue ? Ogilvie Flour Mills, Dominion Bridge, Hotel Queen, Blue Bonnets...

Je me renfrognai. Mes parents aussi se plaisaient à répéter que les Canadiens français étaient « de pauvres *Canayens* ». « Vous en connaissez d'autres, vous, des vaincus qui érigent des statues en l'honneur de leurs tortionnaires ? » s'étranglait mon paternel devant certains monuments élevés aux conquérants anglais de 1763.

Il y avait bien sûr des exceptions. Ainsi, mon magasin préféré, Dupuis Frères, s'affichait ouvertement comme canadien-français et se vantait de ne faire commerce que dans la langue de Molière. Papa s'était émerveillé devant le catalogue de l'entreprise, un catalogue couvert de messages patriotiques tels que « Canadiens, confiez aux vôtres toutes vos commandes. Aidons-nous les uns les autres. Gardons nos forces chez nous. »

— Pourquoi recherchez-vous cette madame Blanchette, au juste ? s'informa notre chauffeur d'un ton bourru. Qu'est-ce que vous lui voulez, hein ?

— Nous avons trouvé une lettre qui lui est destinée et nous voudrions la lui livrer, répondit Adrien.

— Où l'avez-vous trouvée ?

— Dans un vieux sac de courrier, révéla Ariane.

Je jetai un coup d'œil dans le rétroviseur et je vis notre chauffeur arrondir les yeux. Il appliqua le frein de façon si soudaine qu'il déclencha derrière nous une pétarade de klaxons.

— Donnez-la-moi, j'irai la remettre moi-même à cette dame, proposa-t-il aussitôt.

— Non merci, nous tenons à la livrer en mains propres, rétorquai-je bêtement.

Quelque chose clochait, j'en aurais mis ma main au feu. Je ne pouvais pas faire confiance à ce type. Mes copains, tout aussi suspicieux, me lancèrent un regard entendu.

— Montrez-moi cette lettre, ordonna Joseph.

— Pas question ! grondai-je.

Dans son rétroviseur, Jos me fusilla du regard, mais ne prononça plus un mot. Quelques minutes plus tard, la voiture se gara brusquement en bordure du trottoir de la rue Sainte-Catherine, devant un imposant immeuble de briques.

— Allez, terminus, tout le monde descend ! Faites vite, je n'ai pas que ça à faire, moi ! Mon patron m'attend à la brasserie.

— Mais ce n'est pas notre maison ! C'est le magasin Eaton ! s'exclama Ariane, éberluée, en reconnaissant la fameuse vitrine en arcade qui donnait sur la rue.

— Ma tante Exilda travaille au restaurant du neuvième, expliqua le chauffeur d'une voix qu'il voulait détachée. Quand j'avais huit ans, elle a épousé un dénommé Ozias Blanchette, qui l'a abandonnée après deux semaines de mariage. Elle a attendu le retour de ce salaud toute sa vie. Il ne lui a jamais donné signe de vie ni même envoyé le moindre vieux sou noir…

C'était donc ça ? Quel curieux hasard ! Si j'avais été une fille, je lui aurais sauté au cou pour l'embrasser, cette grosse brute au cœur tendre !

Un premier quart d'heure fut d'abord investi dans les escaliers mécaniques, les fameux escalators dont toute la ville parlait et que nous utilisions pour la première fois. Sans doute ressemblions-nous, dans ce magasin très sélect, à une meute de jeunes chiens fous dans un jeu de quilles ! Les regards courroucés des vendeuses au cou raide et au bec sec ne nous empêchèrent pas d'effectuer par la suite un détour au rayon des jouets.

Dans ces lieux bénis des dieux, où les mots « crise économique » étaient inconnus, les tablettes regorgeaient de tout ce qu'un enfant peut rêver : trains électriques, ballons multicolores, jeux de construction, bicyclettes dernier cri, automobiles miniatures, poupées qui parlent, ours en peluche, et j'en passe ! Nous aurions voulu tout acheter ! L'une des vendeuses, particulièrement désagréable, nous indiqua bientôt la sortie d'un index autoritaire. Quelle tête elle fit, cette taupe, quand je lui exhibai sous le nez mon billet de cinq dollars ! Nous quittâmes finalement l'étage avec des billes géantes pour Julien, des cordes à danser pour Ariane et ses sœurs... et un modèle réduit d'avion pour moi. Il me restait toujours quatre dollars et trente sous en poche, un peu plus d'un dollar pour chacun d'entre nous.

Après avoir longé un couloir où trônaient de confortables fauteuils avec vue sur la ville, nous aboutîmes finalement à la salle à manger du neuvième étage, encore déserte à cette heure-là. Une grande pendule indiquait onze heures dix. Des fenêtres surélevées ornaient la pièce, me donnant l'impression bien particulière de me trouver sur un navire. Les tables carrées, méticuleusement alignées, formaient des parallèles. Un peu plus, j'avais le mal de mer. Je tendis l'oreille aux conversations anglaises et feutrées qui flottaient sur l'endroit comme un brouillard londonien, ce fameux brouillard dont on parlait parfois à la radio. Puis je louchai vers une vitrine, devant laquelle on avait disposé de superbes pâtisseries à la crème. Je me pourléchais d'avance les babines quand me vint une pensée pour tous ces gens qui faisaient la queue à la soupe populaire du quartier et qui n'avaient rien à se mettre sous la dent. Une dame sans âge, accoutrée d'une robe à tablier et d'une coiffe, nous proposa une table d'un air hautain et méprisant.

— C'est le plus grand restaurant que j'aie jamais vu ! s'exclama Adrien.

— Six cent cinquante places, déclama la dame sur un ton protocolaire, aussi rébarbative qu'un bouledogue. Notre salle à manger est la réplique exacte de celle du paquebot l'*Île-de-France*. Veuillez me suivre.

Nous gagnâmes à la queue leu leu les places qu'elle nous avait assignées. Elle distribua les menus.

— Nous ne venons pas manger, nous voulons rencontrer madame Ozias Blanchette, annonça Adrien d'une voix ferme.

Il n'avait pourtant rien dit de terrible, mais notre hôtesse le dévisagea d'un air horrifié tout en se bâillonnant la bouche d'une main raide.

— Évidemment, j'aurais dû m'en douter, dit-elle en grimaçant, sans doute persuadée que nous étions sans le sou. Ici, il faut manger pour s'asseoir.

— Nous prendrons du thé et des biscuits, dis-je.

Furieuse, la femme s'éloigna à toute vitesse. L'instant d'après, une dame frisée comme un caniche et qui portait aussi un uniforme à coiffe se présentait à notre table pour prendre notre commande. Elle était à peine plus jeune que pépère. Quelques minutes plus tard, tout en nous examinant avec amusement du coin de l'œil, elle déposa devant nous une théière et une assiette remplie de petits gâteaux secs, et nous versa de grandes tasses du liquide fumant. Moi, j'aimais bien le thé avec du sucre. Maman m'autorisait parfois à en boire à la maison, quand il y avait des visiteurs de marque comme monsieur le curé.

— Je suis bien contente de voir des enfants ici, susurra-t-elle. Ça va nous rafraîchir un peu l'atmosphère !

— C'est plutôt différent de la soupe populaire de Saint-Henri où travaille notre grand-père, ronchonnai-je.

Mes amis éclatèrent de rire.

— Vous féliciterez votre grand-papa pour son travail. Sa soupe doit sauver la vie de bien des gens par les temps qui courent, dit-elle en souriant. Vous vouliez me rencontrer ?

— Comment ? Vous êtes madame Ozias Blanchette ? s'étonna Ariane.

La femme arrondit les yeux et, comme prise d'un malaise, se laissa tomber sur la chaise près de moi.

— Ça fait dix-sept ans qu'on ne m'a pas appelée de cette façon, balbutia-t-elle, les joues rosies par l'émotion. Mon nom est Exilda, mais appelez-moi Ex.

— Nous avons une lettre à vous remettre, madame Ex, une lettre très spéciale, dis-je à mon tour sur un ton mystérieux.

Entre deux bouchées de fades biscuits anglais, je m'étirai le bras pour remettre l'enveloppe à sa destinataire. Le sourire d'Exilda se figea aussitôt, ses grands yeux verts s'accrochant avec férocité aux pattes de mouche tracées sur le papier, une écriture qu'elle semblait reconnaître sans l'ombre d'un doute. Son visage devint si pâle que je crus qu'elle allait s'évanouir et s'effondrer sur la table. Ses doigts affolés réussirent tant bien que mal à décacheter l'enveloppe récalcitrante, à se saisir de la lettre et à la déplier. Adrien, Ariane et moi avions cessé de mastiquer. Nous considérions Ex dans un silence médusé.

Ses pupilles coururent un moment sur le feuillet puis, désespérées, s'accrochèrent aux miennes. Une, deux, trois secondes passèrent ainsi, dans un calme relativement total, ce qui ne présageait rien de bon. « Le calme avant la tempête », pensai-je. Soudainement, on aurait dit une déflagration : Exilda poussa un petit gémissement et éclata en sanglots énormes et incontrôlables, incapable de maîtriser le chagrin trop vaste qui la brisait. Tous les regards se braquèrent sur nous. J'aurais voulu me fondre dans le plancher. Heureusement qu'à cette heure les clients étaient encore rares.

— Petits malotrus ! Qu'avez-vous fait à ma tante Ex, hein ? Qu'avez-vous fait ? hurla alors une voix monstrueuse dans mon dos.

Je fis volte-face et crus mourir d'effroi en reconnaissant notre chauffeur, Jos Bras-de-fer, qui fondait sur nous. Il n'était pas retourné à la brasserie comme il l'avait prétendu ; il nous avait espionnés.

6

Mot caché

Le mastodonte nous avait empoignés, Adrien et moi, et nous secouaient comme des pruniers. Un dans chaque main. Nous étions au centre de l'arène. La clientèle du restaurant nous encerclait pour assister au massacre.

— Ce n'est pas leur faute ! hoqueta la pauvre Exilda, quand elle parvint enfin à articuler un son intelligible.

Notre maigre public se dispersa aussitôt, déçu, le faible brouhaha des conversations et de la vaisselle entrechoquée reprenant dans la salle à manger comme si de rien n'était. J'ai toujours pensé que la plupart des gens manquaient de curiosité.

Madame Ozias se tamponna les yeux. Elle tendit la missive à sa brute de neveu qui, sous l'œil désapprobateur des dames présentes et surtout de l'hôtesse, avait dû se résoudre à nous libérer. Mais dès qu'il eut posé les yeux sur le papier, Jos se figea comme du gras de rôti. « Je mettrais ma main au feu qu'il a déjà vu cette satanée enveloppe », pensai-je en remarquant ses iris aussi ronds que les billes neuves de Julien.

S'étant laissé tomber sur sa chaise, il lut la missive d'un trait, sans délier les lèvres. À mesure qu'il la déchiffrait, son énorme tête chauve devenait aussi cramoisie que mon gros orteil écrasé sous la porte de ma chambre le mois dernier.

— Je n'en crois pas mes yeux, murmura-t-il.

— Ces pauvres enfants n'y comprennent rien, renifla Ex. Lis-la à voix haute, mon Jojo.

— Bi… bien, ma tante.

Il s'exécuta. Les syllabes entrecoupées et indécises sautillaient dans sa bouche, s'accrochaient à sa langue râpeuse. De toute évidence, le Jojo à sa *ma tante* avait bien du mal à décortiquer une si vilaine écriture. Mes copains et moi étions tout ouïe.

Québec, 29 mai 1914

Mon Exilda adorée,

Je suis au port de Québec. Mon bateau s'en va dans cinq minutes. C'est un miracle, j'ai trouvé du travail! Le professeur Omer Dandurand de l'Université Laval de Montréal m'a demandé de transporter une grosse caisse jusqu'en Angleterre. Je dois la remettre à un autre savant. C'est un jeu d'enfant un peu épeurant parce que c'est une m...

Joseph Lacasse s'arrêta net dans sa lecture.

— C'est tout ? laissa fuser Ariane, dépitée.

— C'est bien assez, confirma Jos d'un ton morose. Le dernier mot est indéchiffrable.

Il remit la lettre à ma copine, lettre que nous fîmes tour à tour circuler parmi nous.

Aucun ne parvint à déchiffrer le mot si mal orthographié.

— On dirait qu'il manque du texte ! constatai-je encore.

— Pourtant, tout y est, s'étrangla Ex. Le navire est parti précipitamment et Ozias, de toute évidence, n'a jamais pu terminer sa lettre.

Des larmes silencieuses roulaient à présent sur ses joues. Elles devaient couler sans interruption pendant toute la suite de notre entretien. Joseph tapota la main de sa tante et, pour se donner contenance, remplit nos tasses d'un geste maladroit. La nappe blanche fut bientôt maculée. Après avoir toussoté à deux ou trois reprises pour chasser le chat qui lui encombrait la gorge, Ex prit enfin la parole. Pour sa part, Jos s'était enfermé dans un profond mutisme.

— Ozias et moi nous sommes mariés en mai 1914, trois mois avant que n'éclate la Grande Guerre, commença-t-elle en guise d'explications. Nous nous sommes connus alors que je venais à peine de recueillir

Joseph, le fils de ma sœur. Le pauvre petit avait perdu ses parents dans un déraillement de train. Ozias était un homme très bon, il nous adorait. Mais nous étions pauvres comme Job et n'avions pas la moindre économie. Il semblait impossible à mon mari de se trouver le moindre petit boulot à Montréal. Il faut dire que mon Ozias n'était pas très instruit et qu'il était infirme : le bon Dieu ne lui avait donné qu'un bras. Tout de suite après notre mariage, j'ai insisté pour qu'il aille se chercher du travail à Québec, où nous avions quelques parents. Ozias m'a embrassée une dernière fois le vingt-sept mai avant de sauter dans un train. Je ne l'ai plus jamais revu.

— Il s'est rendu en Angleterre et vous ne l'avez pas su ? s'étonna Adrien. Le professeur Dandurand aurait pu vous avertir !

— Je n'ai jamais entendu parler de ce professeur avant aujourd'hui, affirma Ex en reniflant. Nous avons cherché Ozias sans aucun résultat. Toute la ville de Québec a été passée au peigne fin. Nous avons même placé des avis de recherche dans les journaux. J'avais gardé espoir qu'il soit toujours vivant...

Elle s'épongea de nouveau les yeux.

— Votre mari l'est peut-être encore, dis-je pour l'apaiser.

— J'en doute, soupira-t-elle. Cette lettre me prouve qu'il m'aimait toujours et qu'il n'était pas dans son intention de nous abandonner, Joseph et moi. Elle est à la fois un réconfort et une preuve qu'il lui est arrivé malheur.

Un silence effrayant s'installa alors autour de la table, un silence que même un couteau n'aurait pas pu transpercer.

— Je n'aurais jamais dû l'obliger à partir. Je me sens tellement responsable de sa disparition ! s'accusa Ex, en se remettant à pleurer.

Comme une gifle, ces quelques mots me catapultèrent la mort de Rita en plein visage, avec, en prime, cet affreux sentiment de culpabilité dont je n'avais osé parler à personne. C'était intolérable, j'étais tout à fait incapable de supporter une fois de plus cette souffrance. Spontanément, pour me protéger, je me bouchai les oreilles, fermai les yeux, serrai les lèvres. Quand j'ouvris les paupières, une minute plus tard, tous me fixaient d'un air navré.

— Notre petite sœur Rita vient de mourir et Julien croit que c'est arrivé par sa faute, expliqua Adrien. Mais c'est faux, c'est un accident, il n'est pas responsable ! Vous n'êtes pas non plus responsable de la disparition de votre mari, madame Blanchette.

Ariane m'avait enserré douloureusement les doigts. Je me libérai d'un geste impatient et rempli d'orgueil. Exilda se leva d'un bond. S'agenouillant à même le sol près de ma chaise, elle m'empoigna à son tour les mains.

— Que le bon Dieu nous pardonne à tous les deux ! dit-elle.

Et elle me serra dans ses bras. Ses larmes se mêlèrent aux miennes pour mieux les adoucir.

7
Jos la menace

Notre arrivée en limousine à Saint-Henri eut la discrétion assurée d'un défilé de la Saint-Jean-Baptiste. Tous les enfants de la 7e Avenue encerclèrent l'automobile, les mères se précipitant aux balcons et aux fenêtres pour assister elles aussi à l'événement et voir qui descendrait de ce luxueux véhicule. Il ne manquait plus que les confettis…

Notre chauffeur n'avait pas ouvert la bouche depuis notre départ du restaurant. Son visage, aussi amical que celui d'un tueur à gages, se durcissait en proportion du millage qui montait au compteur. Avant de nous abandonner sur le trottoir, toujours tapi derrière son volant dans un silence incompréhensible, Joseph nous asséna un étrange avertissement.

— Je vais être clair, les jeunes : je ne veux plus avoir affaire à vous, vous me comprenez ? Vous oubliez mon nom, celui de ma tante et l'adresse de la brasserie. Je deviens très méchant quand on me désobéit, gronda-t-il.

— Pas besoin de nous faire un dessin, nous ne sommes pas des idiots, maugréai-je, en lui claquant la portière au visage.

Vexés, nous regardâmes la voiture s'éloigner.

— Je me demande de quoi a peur ce vilain bonhomme, s'interrogea Ariane, en balançant son sac d'emplettes à bout de bras. On ne peut quand même pas trouver un porte-monnaie par jour !

— À voir sa grosse face de lune tout à l'heure, j'aurais juré qu'il avait déjà vu la lettre d'Ozias, fis-je.

— Cette histoire de disparition n'est pas très nette, dit à son tour mon besson. Il y a quelque chose qui cloche.

— Quelque chose qui commence par la lettre « m », qui est épeurant et qui est du genre féminin... raisonna Ariane.

— Il faudrait parler à ce professeur Dandurand, rétorquai-je, sans plus réfléchir. Si on pouvait savoir ce qu'Ozias Blanchette transportait, ça nous mettrait sur une piste.

Ces paroles me valurent aussitôt les regards admiratifs de mes copains.

— Génial, mon frère ! s'exclama Adrien en m'assénant une grande tape dans le dos.

— Et si on commençait demain ? Disons à huit heures, chez moi ? proposa Ariane, excitée comme une puce. Dis donc, Julien, où est passé ton sac avec ton modèle réduit ?

Sa voix fut ensevelie par celles, criardes, de toutes les mères du quartier qui, dans un synchronisme parfait, appelaient leur progéniture pour le souper. Je m'étais retourné dans la direction qu'avait empruntée la limousine, mais celle-ci avait disparu au coin de la rue. Elle emportait sans doute à jamais mon précieux achat.

***

Ma feuille de papier n'avait pas bougé d'un pouce. Quant à mon crayon rouge, qui me rappelait trop l'accident, je l'avais fait disparaître dans le poêle à bois de la cuisine. Plus jamais je n'utiliserais cette couleur pour mes croquis d'aéroplanes.

— Tu ne dessines pas ? me demanda pour la troisième fois Adrien.

Il s'appliquait à inventer une gigantesque machine à calculer, aussi grande qu'une maison afin de loger tous les « circuits électroniques » qu'il faudrait pour la faire fonctionner. Je me demandais où il avait bien pu dénicher ces mots bizarres et son idée de génie.

— Pas le goût... grognai-je, renfrogné.

Chaque soir, notre famille se réunissait dans la cuisine pour écouter les romans-feuilletons à la radio, qu'on appelait aussi des « roman-savons ». C'étaient des émissions moussées d'annonces de détergents à lessive, et qui agissaient sur les adultes un peu à la façon d'un lavage de cerveau, en leur faisant oublier leurs tracas quotidiens. Mais, ce soir-là, aucun de nous n'écoutait l'histoire insipide. Près de moi, la chaise de Rita était vide. Je réalisai subitement que je n'entendrais jamais plus le piaillement joyeux que faisait ma petite sœur lorsqu'elle réprimandait sa poupée de chiffon. Les trilles de la petite cigale de la famille s'étaient à jamais éteints. Même son odeur semblait s'effacer peu à peu de notre maison.

Pépère, qui bricolait une radio à cristal pour la soupe populaire, avait suivi la direction de mon regard. Il me fit un clin d'œil attendri. Je tentai de lui retourner la pareille et d'en esquisser un, moi aussi, mais peine perdue ; j'étais incapable malgré mes douze ans de tenir fermé un seul œil à la fois. Mon aïeul avait une patience d'ange. Ce n'était pas facile de réussir à capter les ondes radiophoniques dans une bassine de fer pour la vaisselle !

— Le goût de jouer te reviendra bientôt, mon garçon, on ne force pas ces choses-là, m'assura-t-il.

— ... surtout quand on n'a pas la conscience tranquille, me lança papa, en jetant son journal sur la table d'un geste féroce.

Pour la première fois, je lui en voulus de toutes mes forces.

— Ferdinand ! s'écria ma mère, furieuse, en cessant de repriser son bas de laine. Veux-tu bien cesser de tourmenter le petit ? C'était un accident !

Au même instant, un grésillement hideux s'échappa du récipient à vaisselle vide. Une belle voix d'homme se dégagea et s'éleva au-dessus de toute cette friture d'ondes. Je reconnus avec surprise le commentateur des nouvelles locales de la chaîne CKAC :

— « ... demain aura lieu à l'Université de Montréal, rue Saint-Denis, une visite guidée. Nous lançons donc l'invitation à tous nos auditeurs et aux étudiants désireux de fréquenter l'établissement. Par ailleurs, la future université de Montréal, qui est en chantier sur la montagne depuis 1928, risque de suspendre ses travaux dès l'automne si la conjoncture économique ne s'améliore pas... »

— Bravo, le beau-père, vous avez réussi ! s'exclama papa, avec un grand sourire. Rien ne vous résiste, à vous !

— Tout le monde peut fabriquer un poste de radio rudimentaire ! objecta pépère. Il suffit d'avoir une caisse de résonance en métal, une bobine de fil de cuivre qui sert d'antenne, qu'on connecte à un cristal de quartz et qui permet...

Je n'écoutais déjà plus ses explications trop compliquées. Bizarrement, l'annonce du commentateur résonnait une seconde fois dans ma tête, laissant ma cervelle sur une impression de qui-vive. Il me fallait saisir quelque chose dans cette nouvelle locale, mais quoi, au juste ?

Ce soir-là, contrairement à son habitude, maman vint dans la chambre pour nous border, Adrien et moi. Après avoir embrassé mon jumeau, elle s'assit sur mon lit et me caressa la joue.

— Ton père ne pensait pas ce qu'il t'a dit, chuchota-t-elle à mon oreille. Il a encore beaucoup de chagrin. La mort de Rita, c'était un accident, mon Julien. Ne suppose jamais autre chose.

Pourquoi était-ce toujours elle qui se chargeait de dévoiler les sentiments présumés de papa ? Lui ne me parlait jamais, surtout pas de ces choses-là. Je déglutis, sans oser dire à maman que je ne la croyais pas.

— Papa t'aime beaucoup, insista-t-elle. Il a toujours été fier de toi, tu es si travaillant, si drôle !

— Ce n'est pas de l'amour, ça, c'est de l'orgueil, répliquai-je d'une voix amère. Ça le flatte devant les autres d'avoir un fils qui n'est pas paresseux et qui est fort comme un bœuf. C'est pratique quand on a une charbonnerie.

— Tu es injuste, mon garçon. Papa apprécie beaucoup ton aide au magasin, mais il t'aime avant tout très fort.

Si j'avais peiné maman, je n'y pouvais rien. Personne n'aurait pu me convaincre ce soir-là que je valais quelque chose aux yeux de Ferdinand Farineau, marchand de bois et de charbon. Luttant contre les larmes qui me montaient aux yeux à la pensée de Rita, je tentai de m'endormir en m'accrochant aux joies de l'enquête du lendemain.

Une idée de génie illumina soudain ma conscience accrochée à la frange du rêve. Bien sûr, l'annonce du commentateur de CKAC ! Je m'assis raide dans mon lit et, ayant saisi à tâtons le crayon déposé sur la table de chevet, je notai dans ma paume le mot à me remémorer à mon réveil. Université.

8
Le pratique professeur Pratte

Comme convenu, Adrien et moi étions chez Ariane à huit heures tapantes. J'avais à peine déposé le gros orteil dans sa cuisine que déjà Berthe, Jeanne et Margot s'accrochaient à moi. Quels pots de colle, ces filles !

— Merci pour la belle corde à danser, déclara la petite Margot en se suspendant à mon cou. Quand je vais être grande, c'est toi qui vas devenir mon mari !

Je détournai la tête pour tenter d'échapper au baiser trop mouillé. Flatté, j'essuyai ma joue d'un geste discret. Encore une fois, la galerie d'en avant nous servirait de refuge contre les intempéries, en l'occurrence les sœurs d'Ariane.

— J'ai un plan pour prendre des renseignements sur le professeur, annonçai-je, on ne peut plus fier. Aujourd'hui, c'est une journée portes ouvertes à l'Université de Montréal. Nous allons nous faufiler dans la foule pour aller tirer les vers du nez au rectum.

Immédiatement, Ariane hurla de rire, tandis qu'Adrien me fixait d'un air abruti.

— Tu veux dire au recteur ? s'écria mon amie. Je ne connais personne qui soit plus drôle que toi, Julien Farineau !

Et se tournant vers mon jumeau, elle précisa :

— Mais oui, Adrien, le recteur, c'est le directeur de l'université, tu ne le savais pas ?

— Pff ! Bien sûr que je le savais ! Elle est complètement usée, cette blague, fit-il en haussant une épaule.

Si ma copine se trompait sur mon compte, ce n'est pas moi qui allais le souligner. Je ne faisais pas dans les calembours ; c'était ma mémoire qui flanchait à cause de toutes ces nuits que je passais sans dormir.

— Et si on prenait le « p'tit char ? » proposa-t-elle. Après tout, il nous reste encore quatre dollars de la récompense.

Aussitôt dit, aussitôt fait. Je me demande bien d'ailleurs pourquoi les garçons finissent toujours par faire ce que veulent les filles…

Pour accéder au pavillon universitaire en question, il nous fallut franchir une porte en fer forgé et gravir quelques marches. Une surprise de taille nous attendait au faîte, où mon plan allait dégringoler comme un jeu de cartes. Ici, c'était le vide total. Invisibles, la foule et la cohue tant espérées ! Je compris que la suggestion du commentateur de la radio locale avait été boudée par la population. À moins que nous nous soyons fourvoyés et que la visite ait lieu un autre jour ? Pourtant, la bannière suspendue au-dessus de la grande porte indiquait bien : « Visite guidée – Bienvenue ».

Sur le palier de l'immeuble principal, je repérai soudain un homme maigrelet aux cheveux rares et gris qui faisait les cent pas, les mains derrière le dos. Il arborait de grosses lunettes et un nœud papillon. L'individu ne mit pas longtemps à nous flairer. Il s'avança vers nous en se frottant les doigts comme s'il les savonnait.

— Tiens, mes premiers visiteurs ! dit-il avec un sourire rempli de commisération. Vous êtes bien matinaux ! Vous voulez fréquenter un jour notre bel établissement, moucherons... hum, je veux dire... moussaillons ?

— Je voudrais étudier la médecine, déclara Ariane.

— La médecine ? Voyez-vous ça ! pouffa l'autre. Contentez-vous donc d'être infirmière, mademoiselle, cela sera plus utile. Ce sont les jeunes hommes qui s'assoient sur les bancs de l'université, pas les filles !

Ignorant les protestations indignées de ma copine, le bonhomme se tourna brusquement vers moi. Ses yeux paraissaient énormes derrière le verre épais de ses binocles.

— Et vous, que voulez-vous faire dans la vie, mon garçon ?

— Je veux être aviateur ! l'assurai-je.

— C'est une école de pilotage qu'il vous faut, pas un cours universitaire ! rétorqua-t-il d'un ton bête. Et votre frère, lui ?

Évidemment, n'importe qui aurait pu deviner qu'Adrien était mon jumeau identique.

— Je veux devenir mathématicien, répondit celui-ci. Les chiffres, ça me connaît, moi !

— À la bonne heure ! s'écria l'autre, ravi. Mais pour y parvenir, vous devez posséder un grand talent. Faisons un petit essai, voulez-vous ? Disons quatre mille trois cent huit multiplié par neuf.

Je riais sous cape : quelle figure ce tartempion ferait en s'apercevant que mon frère était imbattable à ce jeu-là ! Ariane, qui était furieuse de s'être fait évincer, me tira à l'écart par un bras, prête à déguerpir.

— Trente-huit mille sept cent soixante-douze, répondit mon frère sans hésiter. C'est vous le recteur, monsieur ?

Son interlocuteur le dévisagea avec étonnement. Il sortit de sa poche un stylographe, un calepin et effectua lui-même l'opération mathématique.

— Vous êtes prodigieux, murmura-t-il. Comment vous appelez-vous ?

— Adrien Farineau. Lui, c'est Julien et, elle, c'est Ari...

— Et quel âge avez-vous, Adrien ? l'interrompit-il.

— Douze ans. Vous êtes le recteur ?

— Non, moi je suis le professeur Cyprien Pratte. J'enseigne le calcul des intégrales. Et si nous faisions un essai plus difficile, cette fois ? Disons neuf mille trois cent quatre divisé par dix-sept ?

— Cinq cent quarante-sept virgule vingt-neuf, répondit aussitôt Adrien, agacé. Je peux rencontrer le recteur ?

— Vraiment prodigieux ! s'exclama l'enseignant sans l'écouter.

Après un nouveau calcul et de nouvelles interrogations, cette fois-ci au carré et au cube, le bonhomme empoigna mon besson par l'épaule :

— Je vous accompagnerai moi-même au bureau du recteur pour votre admission. Vous serez notre plus jeune élève.

— Je ne viens pas m'inscrire, ma famille n'a pas d'argent, expliqua Adrien avec une impatience non dissimulée. Nous cherchons le professeur Omer Dandurand. Il enseignait à l'Université Laval de Montréal en 1914. L'Université de Montréal où nous sommes, c'est bien l'ancienne Université Laval de Montréal, non ?

— Oui, elle a changé de nom.

En retrait, Ariane et moi nous jetâmes un regard entendu. Bien joué, frérot ! J'étais vraiment content d'être son jumeau. De nous deux, c'était vraiment lui le cerveau.

— Omer Dandurand... réfléchit l'autre. De prime abord, ce nom me rappelle quelqu'un. Un individu bizarre que j'ai côtoyé ici même, au travail, rue Saint-Denis.

C'était avant l'incendie. Faisons un pacte, Adrien : je vous aide à retracer mon confrère mais, en échange, vous m'accompagnez chez le recteur demain. Si vous êtes admis, je me chargerai de vous trouver une bourse pour financer vos études.

Mon frère accepta avec enthousiasme. Le professeur Pratte nous mena alors droit au secrétariat de l'établissement, où il demanda en catimini à consulter un certain registre commémoratif qui répertoriait les maîtres et les diplômés de 1900 à 1925. Le préposé lui remit un livre en similicuir marron, que le professeur examina, debout derrière le comptoir.

— D... Dan... Daneau, Dansereau, Daoust..., non, je ne trouve pas, grogna le professeur, le nez enfoui dans le vieux bouquin poussiéreux. Il faut dire que ceci n'est pas un registre officiel.

— Je suis certain que son nom y est, insista mon frère avec humeur.

Il tentait sans succès de lire par-dessus l'épaule de son nouveau mentor.

— Eurêka ! jubila soudain Cyprien Pratte. « Omer Dandurand, égyptologue et professeur d'histoire ancienne. Postes à l'Université Laval de Québec et à sa filiale de la rue Saint-Denis à Montréal, de 1914 à 1919. » Il n'y a pas d'erreur, c'est bien notre homme.

— Un égyptologue ? répéta Ariane en écarquillant les yeux, impressionnée.

Sans crier gare, notre mécène s'envoya un grand coup de paume au milieu du front.

— Mais oui, je me souviens, maintenant ! s'exclama-t-il avec emphase. Quel drôle de personnage c'était, ce Dandurand ! Il ne se coupait jamais les cheveux et il avait la tête comme une véritable serpillière ! Il était un peu cinglé, je crois, car il se mordait sans cesse les avant-bras. Le pauvre sinoque se vantait d'avoir travaillé avec Howard Carter, l'archéologue qui a découvert plus tard la pyramide du pharaon Toutankhamon. Dire que je ne le croyais pas, pauvre Dandurand...

Je me demandai si le mot sinoque était pire que le mot cinglé. Le professeur s'empara de son bloc-notes et de son stylographe.

— Attendez, je vous note son adresse, dit-il encore. Tant qu'à y être, donnez-moi aussi la vôtre, Adrien. J'irai vous chercher demain avec ma voiture et je parlerai à vos parents. Il faut préparer votre entrevue avec le recteur.

Je griffonnai mon adresse sur son calepin.

— Tiens, le professeur Dandurand habite à quelques pâtés de maisons de chez vous, remarqua Cyprien Pratte.

Je crois que mon jumeau ne réalisait pas du tout que ce jour était le plus important de sa vie.

9

Le silence du sinoque

— Une petite bière, monsieur le professeur ? proposa mon père pour se montrer aimable.

Papa avait troqué son long tablier blanc taché de charbon pour un veston rapiécé aux coudes. Ce matin, pendant qu'il engouffrait sa soupane d'avoine, maman l'avait coiffé avec de la brillantine. Puis, il avait attendu son visiteur en faisant les cent pas dans la cuisine. Un visiteur qui, avec un peu de chance, enverrait un premier Farineau sur les bancs de l'université.

— Merci, je ne bois jamais d'alcool à une heure si matinale, déclina poliment Cyprien Pratte. Cependant, je prendrais bien un peu de café, si vous en avez. Comme je l'expliquais à votre épouse, votre fils a un véritable don pour les mathématiques.

— Adrien tient ça de ma famille, se vanta mon paternel. Son jumeau, lui, ressemble plus à sa mère. Va donc jouer dehors, Julien. Nous avons des choses importantes à discuter avec ton frère.

Une grosse boule alla se loger dans ma gorge. De nouveau, j'étais envahi par ce sentiment de n'être qu'une livre de beurre, qui plus est, une livre de beurre ranci. D'un geste, papa me chassa comme une mouche. Spontanément, je m'envolai chez les Chabot, les yeux sans doute un peu trop brillants. Ariane m'attendait.

— Tu as l'adresse? s'enquit-elle, en m'examinant par en dessous.

— Deux fois plutôt qu'une.

— Tu crois qu'Adrien sera fâché si nous y allons sans lui?

— Il a d'autres chats à fouetter, le pauvre. Si tu voyais la liste des problèmes d'arithmétique qu'il doit encore résoudre! Je le plains.

Nous remontâmes la 7e Avenue jusqu'à une rue où je n'avais jamais mis les pieds, une rue encore plus éloignée de la maison que l'était la soupe populaire de pépère. S'y dressaient de misérables bâtiments devant lesquels jouaient quelques enfants vêtus de guenilles et de loques. La rue était jonchée de crottes de chien, de bouteilles brisées et de poubelles renversées. Derrière les ordures, un clochard ronflait, couché dans une boîte en carton. Je me sentais soudain un peu honteux d'avoir jugé papa si durement. Ses deux bouteilles de bière quotidiennes n'étaient rien à côté d'une pareille déchéance et d'une telle misère !

« Quand je me regarde, je me désole; quand je te regarde, je me console », récitai-je à mi-voix, me remémorant le vieil adage populaire.

Une forte odeur d'urine et d'alcool m'assaillit subitement les narines.

— Le bureau d'hygiène n'est sûre*b*ent *b*as *b*enu ins*b*ecter le quartier, me souffla Ariane à l'oreille en se pinçant le nez. Regarde, c'est ici.

Le numéro civique correspondait bien à celui noté par le professeur Pratte. La devanture de l'immeuble était lamentable. Son papier brique crevassé et à demi arraché laissait entrevoir une charpente de bois totalement pourrie. Plantés devant la porte dépeinte, dont les carreaux avaient été remplacés par des bouts de carton, nous ne nous décidions pourtant pas à frapper. Je crus donc mourir d'effroi quand la porte s'ouvrit à l'improviste sur un énergumène aux cheveux hirsutes, habillé de vêtements troués et crasseux. Aussi grand que maigre, il nous considérait avec un regard dément. Bien qu'il ait l'âge de Cyprien Pratte, il n'en avait pas du tout l'élégance. Je sursautai en constatant qu'il était armé d'une paire de longs ciseaux. Ariane, qui l'avait aussi remarqué, m'empoigna la main en poussant un petit cri. J'ai toujours pensé que les filles étaient plus froussardes que les garçons dans des moments pareils. Je déglutis.

— Nous voudrions parler à monsieur Omer Dandurand, amorçai-je poliment.

— Y a pas de « monsieur » ici ! aboya l'autre.

Son haleine pestilentielle aurait fait fuir n'importe quelle vermine ou punaise. Pas moi. Ma copine, qui s'était cachée derrière mon dos, osa un coup d'œil furtif vers lui.

— Le professeur Dandurand habite ici ? demanda-t-elle d'un ton timide.

— Connais pas, j'vous dis !

Se mordant goulûment l'avant-bras, il nous claqua la porte au visage. Il devait être affamé, ce type, pour se manger le bras de cette façon ! Le bras… ? Ariane et moi nous dévisageâmes.

— Tu penses à ce que je pense ? m'enquis-je.

Elle hocha la tête et je fonçai sur la porte, que je tambourinai d'un poing impitoyable.

— Professeur Dandurand, nous savons que c'est vous ! hurlai-je. Ouvrez-nous, s'il vous plaît ! Vous devez absolument nous parler du mystérieux colis qu'a transporté Ozias Blanchette jusqu'en Angleterre !

La porte s'ouvrit subitement sur notre drôle de numéro. Il nous fit signe de le suivre à l'intérieur de son taudis.

— Moi, je ne rentre pas là-dedans, m'avertit Ariane en reculant.

— Si je ne suis pas sorti dans une demi-heure, va chercher mon père, rétorquai-je.

— Non, Julien, je t'en prie, n'y va pas, c'est trop dangereux !

Mon cœur battait jusque dans mes tempes, mais je le cachais bien. Ignorant les suppliques de mon amie, je refermai la porte sur moi pour suivre l'égyptologue le long d'un sombre couloir où s'amoncelaient des piles et des piles de vieux bouquins. Un boudoir encombré nous accueillit finalement en bout de piste. Je distinguai, dans la jungle des toiles d'araignée qui pendaient du plafond, une étagère haute où étaient exposés des masques hideux, des morceaux de poterie, des statuettes et un nombre incalculable d'objets aussi étranges qu'hétéroclites, recouverts de symboles et de hiéroglyphes, que je devinai d'origine égyptienne. Tout était disposé dans le fouillis le plus indigeste qui soit.

L'étrange personnage se laissa tomber dans un fauteuil râpé, faisant déguerpir le gros chat noir qui y paressait. Il déposa sa paire de ciseaux sur la table, où traînait la page aux trois quarts découpée d'un journal. Je choisis une chaise en face de lui.

— Je m'appelle Julien Farineau.

— Qu'est-ce que tu veux savoir, gamin ? me questionna-t-il, en me fixant droit dans les yeux.

Les siens étaient d'azur. Tel un ventriloque, l'individu parlait pratiquement sans ouvrir la bouche, qu'il avait d'ailleurs aussi mince qu'étriquée. Aussi avais-je peine à saisir le filet de voix, bas et étouffé. Dorénavant, il me faudrait lire les mots sur ses lèvres pour ne rien manquer du discours qu'il crachotait.

— Nous avons rencontré hier une pauvre dame qui cherche son mari depuis des années. Le nom d'Ozias Blanchette vous rappelle-t-il quelque chose ? demandai-je. Vous auriez engagé cet homme en 1914 pour aller en Angleterre depuis le port de Québec. Il devait remettre un colis à un de vos confrères.

— Si je m'en souviens ? s'insurgea-t-il. Tu crois que je suis amnésique, gamin ? Ce Blanchette, c'était un manchot. Il aurait fait n'importe quoi pour se trouver un travail, le pauvre type.

— C'est bien ça ! m'exclamai-je, ravi. Je voudrais savoir si Ozias Blanchette est arrivé en Angleterre et s'il a finalement remis le paquet à son destinataire.

Le professeur Dandurand arrondit les yeux, m'examinant comme si j'avais été une vieille momie déballée. Réflexe normal pour un égyptologue.

— Tu te moques de moi ? laissa-t-il tomber.

Puis, dans un silence sinistre, il se mordit l'avant-bras jusqu'au sang.

— Tout est de ma faute, vois-tu ? gémit-il.

Je n'eus pas même à lui tirer les vers du nez; il me vida son sac tout de go, m'étalant son texte d'une traite. On aurait dit qu'il le répétait depuis des semaines. Omer Dandurand semblait intarissable...

10

L'égyptologue dialogue

Dandurand accrocha son regard au coffret d'ébène déposé entre nous, sur la table à café encombrée.

— J'ai terminé mes études dans une prestigieuse université londonienne. J'avais vingt-neuf ans, c'était en 1913, commença-t-il.

« Mais ça n'a aucun rapport », pensai-je en fronçant les sourcils. Je me trompais. Bizarrement, ma peur du professeur s'était évanouie. Une grande curiosité m'attirait au contraire vers lui, comme si j'avais eu un tas de choses à apprendre de ce personnage un peu irrévérencieux. J'avais l'intuition que c'étaient des choses interdites, qui ne s'enseignaient pas du tout à l'école.

— Un étranger a communiqué avec moi le jour même de la remise des diplômes, poursuivit-il. Il faisait partie de l'équipe d'Howard Carter, le célèbre archéologue anglais avec qui je rêvais de travailler depuis des années. J'ai été engagé sur-le-champ pour un contrat de quelques mois. Je me suis embarqué pour le Caire, en Égypte, où on faisait des fouilles afin de retracer le tombeau du roi Toutankhamon. C'était le plus beau jour de ma vie, gamin, même si je travaillais pour des cacahouètes.

Je déglutis, fasciné. Je songeai un instant à récupérer mon calepin et mon bout de crayon toujours enfouis dans ma poche de salopette, mais je craignais que le moindre geste de ma part ne tarisse la précieuse source de renseignements qui coulait comme par miracle de cette bouche ingrate. Le professeur soutenait mon regard.

— La chance était avec moi, cette année-là, vois-tu ? J'avais à peine enfoncé mes sandales dans le sable de la vallée des Rois que je découvrais, au hasard d'une promenade, l'entrée secrète d'un tombeau.

— Votre patron a dû être content de vous ! sifflai-je.

Cramoisi de honte, il baissa les yeux.

— Non, puisqu'il ne l'a jamais su. J'ai commis l'erreur de lui cacher l'information et de vouloir garder la découverte pour moi tout seul. Je croyais que je deviendrais riche et célèbre. Quelle bourde ! J'ai payé très cher cette malhonnêteté.

Au même moment, son gros paquet de puces lui sauta sur les genoux. Le professeur Dandurand caressa le félin cotonné, déclenchant aussitôt l'allumage du moteur à réaction qui y était camouflé.

— J'avais planté ma tente loin du campement de mes confrères, poursuivit l'égyptologue. Je travaillais à mes fouilles la nuit, dans le plus grand secret. Je creusais avec quelques ouvriers que j'avais soudoyés.

— Soudoyés ? répétai-je avec une petite moue d'incompréhension.

— J'avais acheté leur silence pour qu'ils tiennent leur langue, m'expliqua-t-il. Au bout de dix jours, je mettais enfin la main sur ma première momie.

Je me redressai brusquement sur la chaise, l'oreille à l'affût. À ce moment, je ne songeais plus ni à la mort de Rita, ni au silence cruel de papa, ni à la disparition d'Ozias, ni même à la tristesse de son épouse. En fait, j'avais tout oublié de mes chagrins et de notre enquête. Seule l'histoire de cette momie comptait. Le moteur à puces, lui, avait calé.

— Malheureusement, ce n'était pas la momie de Toutankhamon ou d'un quelconque de ses gouverneurs, bougonna le professeur. C'était plutôt celle d'une vieille femme dont personne n'avait jamais entendu parler.

— Dans ce temps-là, tout le monde avait un tombeau comme ceux des pharaons ?

— Tu es perspicace, gamin, répondit-il en souriant, me dévoilant une jaune dentition criblée de points marron. Non, seuls les gens influents possédaient le droit de se faire inhumer dans la vallée des Rois. Or, cette dame, qui vivait sous le règne d'Aménophis IV, était très puissante, vois-tu : c'était une très grande voyante. C'est ce que m'ont révélé les hiéroglyphes découverts dans son tombeau et que j'ai traduits grâce à la pierre de Rosette de Champollion, une sorte de dictionnaire, si tu veux.

— Ça alors ! Elle lisait l'avenir dans les lignes de la main comme les romanichels qu'on voit dans les cirques ? m'exclamai-je.

— C'est à peu près ça, dit-il en ricanant. Une chose est sûre : elle ne se trompait jamais dans ses prédictions. Le pharaon Aménophis IV devait beaucoup l'apprécier et elle a dû lui rendre pas mal de services.

— Elle devinait les plans de ses adversaires ?

— Oui, ce qui expliquerait qu'on lui ait élevé un tombeau dans la vallée des Rois.

— Et vous n'avez pas touché un mot à votre patron de votre découverte ? m'étonnai-je encore.

— Non. Et, pour empirer les choses, j'ai même décidé de subtiliser la momie en secret malgré l'avertissement écrit que j'avais trouvé dans la tombe.

— Un avertissement ?

— En hiéroglyphes, bien sûr. C'était la mode de maudire les profanateurs de tombeaux, à l'époque d'Aménophis. Il était interdit de déranger ceux qui dormaient de leur dernier repos. Après ce vol de momie en bonne et due forme, j'ai obtenu un poste de professeur aux universités Laval de Québec et de Montréal, et je suis revenu au Canada en rapportant de mon périple un magnifique tapis tissé.

— La momie y était camouflée, compris-je, les yeux ronds comme des billes.

— Pas très futé, hein ? Mais ça a marché, et le voyage ne l'a pas trop abîmée. Si les douaniers n'ont rien décelé, c'est qu'ils ne pouvaient imaginer un plan aussi risqué et aussi stupide. Par la suite, j'aurais voulu vendre la momie à des collectionneurs américains sans scrupules. Mais, dès mon retour au pays, ma vie a été brisée, gamin. Par ma faute.

Le professeur recommença à se mordre l'avant-bras. Quelle rage il mettait dans chacune de ses bouchées ! Tout son corps frémissait, comme s'il était pris de trémolos ou d'affreuses convulsions. Le chat tenta bien de calmer son maître en lui léchant la joue, mais l'homme le chassa avec impatience.

— Que s'est-il passé de si terrible, professeur ? demandai-je, le souffle court.

— La malédiction de la momie m'a frappé, geignit-il en se tordant les mains. Et elle me frappe toujours. Tiens, lis toi-même...

D'un index tremblant, il me désigna le coffret déposé sur la table :

— Voici la traduction de l'anathème en hiéroglyphes que j'ai trouvé dans la tombe. J'aurais dû ne pas l'enfreindre, mais il est trop tard maintenant, je ne peux plus me racheter...

Anathème, ça voulait sans doute dire avertissement, mais ce n'était pas le moment de poser la question. Je m'empressai de tourner la clef insérée dans la serrure et d'ouvrir le boîtier. Celui-ci contenait un feuillet jauni, que je dépliai en frissonnant. Deux écritures bien distinctes noircissaient le papier. La première était en hiéroglyphes. Ces étranges symboles, reproduits à la plume, s'alignaient-ils côte à côte ou devait-on les lire de bas en haut ? J'arrondis les yeux devant les aigle, cobra, hibou, scarabée, cercle et autres formes géométriques bizarroïdes auxquelles je n'entendais rien. Je reconnus soudain avec soulagement l'alphabet latin inscrit sur la moitié inférieure de la feuille. Je lus le paragraphe à voix haute :

— « *Sors de ce sommeil éternel où tu es plongée. Que le regard de tes iris terrasse tout ce qui sera entrepris contre toi.* » C'est tout ? dis-je, un peu déçu.

Je n'y comprenais pas grand-chose. Le professeur Dandurand s'arracha les cheveux par poignées :

— Comme elle l'a écrit voilà trente-trois siècles, la voyante d'Aménophis IV ne voulait pas qu'on la dérange dans son paisible sommeil. Elle s'est vengée, sortant de la mort pour réduire les coupables en miettes. C'est de cette façon que je suis devenu un assassin sans le vouloir, gémit-il.

11

La malédiction de la momie

J'étais toujours paralysé sur ma chaise, suspendu aux lèvres du professeur Dandurand. Affolé, celui-ci me saisit les doigts avec brusquerie pour récupérer son précieux feuillet de traduction.

— Il ne pouvait y avoir de pire malédiction, expliqua-t-il en le rangeant de nouveau dans son boîtier. Tous les ouvriers que j'ai soudoyés sont morts en l'espace de quelques mois. Je suis devenu moi-même très malade, je perdais la raison et la mémoire, les médecins ignorant tout de la nature de mon mal et la cause de cette folie. Ma fiancée m'a laissé tomber. Mon logement a été la proie des flammes. Mes nuits étaient peuplées de cauchemars hideux. Je me réveillais, persuadé que la terrible momie se tenait à mon chevet. Ça ne pouvait plus durer. Un matin, j'ai décidé de rendre la momie à son pays d'origine.

— Vous avez bien fait, soufflai-je.

— Tu veux rire de moi ? fulmina l'autre en se leva d'un bond et en commençant à se promener dans la pièce. Le remède a été mille fois pire que le mal !

Soudainement, la lumière éclata dans ma cervelle comme un feu d'artifice. Bang ! Mais bien sûr, c'était « M » comme momie !

— La caisse transportée par Ozias Blanchette contenait donc la momie de la voyante ? demandai-je, renversé.

L'égyptologue hocha lentement la tête.

— On ne peut rien cacher à un garçon comme toi. Mais j'avais la trouille, vois-tu ? Je n'étais qu'un froussard. C'est d'ailleurs ce qu'on m'a répété pendant toute ma jeunesse. Ah ! Si j'avais possédé une once de ton courage, gamin !

J'encaissai le compliment sans broncher. J'aurais bien aimé que papa l'entende, lui aussi...

— Qu'est-il advenu de cette caisse? insistai-je.

— J'avais réservé un billet sur un paquebot à destination de Liverpool. De là, un confrère d'Angleterre, avec qui j'avais étudié et que j'avais payé généreusement, devait ramener la caisse à un musée du Caire sous une fausse identité en soudoyant au besoin quelques fonctionnaires. Il ne fallait pas qu'on nous accuse de vol, vois-tu?

Il s'épongea le front à l'aide d'un grand mouchoir avec lequel je ne me serais pas mouché pour tout l'or du monde.

— J'étais mort de peur à l'idée de ce qui pouvait encore m'arriver, poursuivit-il en baissant la voix d'une octave. C'est alors que, une heure avant l'embarquement, par un hasard inouï, j'ai fait la rencontre d'Ozias Blanchette. Il était si heureux de travailler pour moi et d'effectuer sa première croisière en haute mer! Je l'ai lâchement chargé de ramener la caisse à Liverpool et je l'ai payé d'avance, rubis sur l'ongle, comme on dit. Pauvre diable, il courait à sa perte.

— N'avait-il pas écrit une lettre à sa femme juste avant son départ ? demandai-je.

Le savant me dévisagea avec un certain étonnement, pour ne pas dire un étonnement certain. Il secoua la tête de haut en bas, par petits coups brefs. Sa caboche me faisait penser à celle du pantin à ressorts avec lequel jouait parfois Rita.

— À la dernière minute, avant d'enjamber la passerelle, monsieur Blanchette m'avait en effet chargé de timbrer et de poster une enveloppe, se souvint l'archéologue. Quel chagrin épouvantable son épouse a dû ressentir en lisant la lettre !

— C'est bien là le problème : elle ne l'a jamais reçue, maugréai-je.

— Là, tu fais erreur, gamin, riposta l'archéologue. Elle l'a reçue puisque je l'ai moi-même livrée.

— Vous êtes certain ? demandai-je, ébahi.

— Tout à fait. C'est le lendemain matin, en achetant le timbre pour poster la fameuse lettre, que j'ai appris le naufrage.

— Quel naufrage ?

— Mais celui du paquebot l'*Empress of Ireland*, bien sûr !

Ça me fit l'effet d'une gifle en plein visage. Pis encore, d'une paire de baffes aller-retour. Je bondis de ma chaise comme si mon siège me brûlait l'arrière-train.

— Eh oui! m'assura avec calme le professeur. Il s'agissait de l'*Empress of Ireland*, gamin. La nuit du 29 mai 1914, le paquebot sur lequel Ozias Blanchette s'était embarqué la journée même est entré en collision avec un charbonnier à l'est de Rimouski. Il y a eu mille douze victimes, mille douze innocents, la plupart des immigrants.

J'étais sidéré : Ozias Blanchette était donc mort ! Et Exilda qui n'était au courant de rien !

— J'ai préféré me rendre directement chez madame Blanchette pour lui exprimer mes condoléances, poursuivit l'égyptologue. Je voulais lui remettre la missive de son mari en mains propres.

Mais elle était absente. C'est son jeune fils qui m'a ouvert. C'est donc à lui que j'ai annoncé le triste événement. À ma grande surprise, le garçonnet était déjà au courant du décès de son pauvre papa. « Remets bien la lettre à ta maman », lui ai-je tout de même recommandé.

Je demeurai un moment décontenancé et abasourdi. Sans contredit, cet enfant ne pouvait qu'être Joseph Lacasse, le neveu orphelin recueilli par Exilda. Qu'avait-il fait de cette lettre ? Pourquoi ne l'avait-il jamais remise à sa tante ?

— La malédiction a été la cause du naufrage, car la momie était à bord de l'*Empress of Ireland*, poursuivit Omer Dandurand sur un ton grave et pathétique. Tous ces gens se sont noyés par ma seule et unique faute, vois-tu ?

Je voyais très bien. J'imaginais même avec une netteté à couper le souffle la terrible scène de dévastation.

— Vous n'êtes pas responsable, monsieur le professeur, dis-je pour le consoler. Ce n'est pas la malédiction d'une momie, ça, c'est une mauvaise coïncidence...

Je me sentais très maladroit. La culpabilité et le malheur du pauvre homme ressemblaient trop aux miens pour que je puisse les rejeter du revers de la main. Le professeur pleurait amèrement:

— Je ne pourrai plus jamais racheter ma faute puisque la momie a coulé à pic ! Elle ne pourra jamais retrouver son lieu de repos éternel. C'est pourquoi la malédiction me poursuivra toujours, mon gars. Je suis fait comme un rat ! Ma vie est brisée ! L'incendie de l'Université Laval de Montréal en 1919 est aussi de ma faute !

Au moment où Omer Dandurand s'accusait de tous les malheurs et se frappait le cœur, un vacarme assourdissant retentit dans la pièce. Nous mîmes quelques secondes à comprendre que le bruit venait, en réalité, non pas du muscle cardiaque du professeur, mais bien de la porte, qu'on venait de défoncer. Je reconnus alors avec surprise la voix tonitruante de mon père.

— Julien, mon ti-gars, es-tu là ?

Il apparut dans le boudoir dans son grand tablier taché de charbon, avec l'air féroce d'un gladiateur. Ariane l'escortait comme un seul homme. S'étant précipité sur moi, papa me serra contre lui d'une main énorme puis, de l'autre, saisit Dandurand par le collet :

— Misérable bon à rien ! Si t'as fait du mal à mon gars, je ne réponds plus de moi ! vociféra-t-il en le secouant comme une salade en feuilles qu'on essore.

— Le professeur ne m'a rien fait, papa, m'empressai-je de confirmer. Nous avons seulement parlé, je t'assure. Il est très gentil.

— Lâchez-moi, monsieur Farineau, s'étrangla la victime. Votre fils est sain et sauf.

Mon père obéit. M'ayant repoussé pour mieux m'examiner, il poussa un grand soupir de soulagement. Je vis luire une larme sur sa joue.

— Tu m'as fait une de ces peurs, ti-gars, s'excusa-t-il, cramoisi d'embarras. Ariane m'a dit que ce monsieur était fou et qu'il était armé d'une paire de ciseaux, alors j'ai vu rouge...

Et, pour la première fois de ma vie, papa m'ébouriffa les cheveux. Il laissa dégringoler un rire gras, que nous reprîmes à sa suite. À ce moment précis, je crus sans l'ombre d'un doute que mon père m'aimait. La boule qui m'entravait la gorge depuis le matin fondit comme neige au soleil.

— Si j'avais un fils aussi perspicace et courageux que le vôtre, monsieur, j'aurais réagi de la même façon que vous dans les circonstances, soutint Omer Dandurand avec amabilité.

— Vous exagérez un brin, rougit papa. C'est quand même pas un génie comme mon autre. Hum, pardon, j'ai une poussière dans l'œil...

Je savais bien que je n'étais pas fameux en arithmétique, contrairement à Adrien. Je savais bien que papa m'en voulait encore beaucoup et me rendait en partie responsable de la mort de Rita. Mais c'était trop tard pour lui, trop tard pour moi. Il ne pouvait plus reculer, à présent : j'avais vu une larme sur son visage.

« S'il a eu peur pour moi, c'est qu'il m'aime un peu », pensai-je. La place que j'avais prise dans son cœur était sans doute minuscule, mais j'y existais tout de même. Cela me suffisait.

12

La visite impromptue

Je fis un grand détour afin d'éviter d'avoir à repasser devant la chambre de ma sœur. C'était complètement idiot, mais j'étais terrorisé à l'idée que la porte, dont papa interdisait l'accès depuis les funérailles, s'ouvre par dedans. Même en plein jour, je redoutais de voir apparaître le visage de Rita dans l'interstice.

Ce matin, Adrien avait l'air bougon. Il faut dire qu'on l'aurait été à moins : hier, le recteur l'avait admis de façon officielle à l'université et, ce matin, le professeur Pratte rappliquait avec une bourse d'études qu'il avait obtenue pour lui. Mon frère commencerait donc ses cours de mathématiques dans trois semaines tout au plus. Il serait le plus jeune élève de toutes les universités de la province de Québec.

Le hic, c'est qu'Adrien ne voulait pas quitter son meilleur copain, c'est-à-dire moi. Nous n'avions jamais été séparés. Et, bien qu'on nous ait systématiquement assigné des classes différentes depuis notre première année (comme on le faisait d'ailleurs avec la majorité des jumeaux et des triplés de la ville), nous avions toujours fréquenté la même école. Séparer deux doigts de la main, ça fait mal. Le grand rêve de mon frérot tournait au cauchemar.

— Pas question de faire une omelette sans casser des œufs, argumenta pépère en bourrant sa pipe en plâtre. Tu regretteras ce cours universitaire toute ta vie si tu refuses de le suivre. C'est une chance extraordinaire qui s'offre à toi, mon garçon.

— Je déteste les omelettes, maugréa Adrien.

Mon frère se cacha la bouche derrière la main.

— Viens, on va récupérer ton modèle réduit chez Eaton, au restaurant, chuchota-t-il dans ma direction. Je suis certain que c'est là que tu l'as oublié. Nous profiterons de l'occasion pour dévoiler à Exilda les informations que tu as obtenues du professeur Dandurand concernant son mari.

— Tu es fou ? Jos va nous casser la figure ! protestai-je.

— Ça, je m'en charge.

Je soupçonnais qu'Adrien se cherchait une excuse, en l'occurrence un accident, pour échapper à son nouveau destin. Aussi est-ce à contrecœur que j'acceptai sa dangereuse proposition.

Nous n'avions pas fait dix pas sur le trottoir de bois qu'une voiture blanche s'immobilisait en bordure de la rue, juste devant le commerce de papa. La portière du passager avant s'ouvrit en grinçant et nous nous étirâmes le cou pour voir qui en descendrait. Quelle ne fut pas notre surprise de reconnaître Exilda qui portait mon précieux sac du magasin Eaton ! Elle nous fit un petit signe de sa main gantée de jaune, une couleur assortie à son chapeau et à sa robe à fleurs.

Puis, il y eut un nouveau couinement. Cette fois-ci, ce fut la portière du conducteur qui s'ouvrit. Le chauffeur de la brasserie Molson s'extirpa de la voiture, une cigarette clouée au bec, ce qui nous arrêta net dans notre course.

— Donne-lui son sac, ma tante, je n'ai pas que ça à faire, moi ! grommela le redoutable neveu en nous dardant d'un œil féroce.

Bégayant quelques timides remerciements, je récupérai mon bien du bout des doigts, prêt à déguerpir au moindre mouvement de notre ennemi. Néanmoins, je me ravisai et m'approchai de la dame pour lui parler à l'oreille.

— Nous devons vous parler sans Joseph, soufflai-je.

— Nous allons être en retard au travail, ma tante ! clama Jos d'une voix forte, exprès pour court-circuiter ma tentative de rapprochement.

— Eh bien, va-t'en ! lui répliqua-t-elle d'un ton sec. J'ai envie de passer un moment avec ces garçons, moi !

— Mais ma tante, ton travail au restaurant ? balbutia l'autre, confondu.

— J'irai en tramway, voilà tout. Va-t'en, maintenant.

Le ton n'admettait aucune réplique. Si Jos était furieux, il n'osa contredire sa tante. Après nous avoir lancé un nouveau regard d'enragé, le bonhomme réintégra son véhicule, claqua la portière et démarra l'automobile, qui disparut en trombe au bout de la 7e Avenue. Je suis persuadé qu'il se faisait du sang d'encre à l'idée de ce que nous pourrions raconter à sa tante. Et je m'en réjouissais.

Exilda nous empoigna chacun par le bras et amorça une promenade. Il n'existait plus aucun sentiment de gêne entre nous, un peu comme si nous la connaissions depuis toujours.

— Joseph nous a défendu de vous revoir. Je suis surpris qu'il vous ait menée jusque chez nous, s'étonna Adrien.

— S'il ne l'avait pas fait, je me serais rendue à la soupe populaire de Saint-Henri où j'aurais demandé votre adresse à votre grand-père. Si j'ai bonne mémoire, vous m'aviez dit qu'il y travaillait. Il fallait bien que vous récupériez votre sac, soutint madame Blanchette en souriant. Jos a tellement insisté pour vous remettre lui-même votre emplette qu'il a éveillé mes soupçons. Pourquoi ne voulait-il pas que je vous revoie ?

Je m'éclaircis la voix :

— Parce qu'il a peur que nous vous racontions ce que nous savons sur la disparition de votre mari, madame.

Exilda s'immobilisa, soudain très pâle. Je la traînai jusqu'à un banc public installé à proximité pour l'y faire asseoir. Elle soutenait mon regard avec anxiété.

— Ça va vous causer beaucoup de chagrin, mais je crois que vous devez savoir la vérité, plaidai-je avec force.

— Parle, mais parle donc ! supplia-t-elle.

Je me mordis la lèvre inférieure, encore indécis. Et si son cœur était trop fragile pour supporter la vérité ? Je ne voulais pas devenir responsable de la mort d'une vieille dame, moi. Je l'étais bien assez de celle de ma sœur. Je lui empoignai la main. Adrien se chargea de lui tapoter l'autre. Il était trop tard pour reculer.

— Le paquebot sur lequel s'est embarqué votre mari, c'était l'*Empress of Ireland*, articulai-je.

Ex ne répondit rien et se contenta de me dévisager un moment. À mon grand étonnement, elle ne pleura pas. Ses lèvres tremblèrent bien un peu, mais cette dame avait une force intérieure qui la rendait très brave. Elle inspira profondément.

— J'avais deviné, mes amis, nous confia-t-elle en serrant douloureusement nos doigts. Hier matin, en relisant la lettre d'Ozias pour la centième fois, je me suis soudain remémoré les recherches entreprises à Québec pour le retrouver. Cette semaine-là, il y a dix-sept ans, toute la ville ne parlait que du naufrage de l'*Empress of Ireland*. Le fait que mon mari puisse se trouver sur ce navire ne m'avait jamais effleuré l'esprit.

— Vous n'êtes donc pas fâchée contre nous ? s'enquit Adrien.

Elle esquissa un immense sourire. Ses beaux yeux verts brillaient comme des émeraudes.

— Il n'y a rien de pire que de vivre dans l'incertitude. Je vous serai toujours redevable de m'avoir dit la vérité.

— Je n'arrive pas à comprendre pourquoi votre neveu ne vous a rien dit, lui, soupira avec étourderie Adrien, à qui j'avais raconté en détail ma rencontre avec le professeur Dandurand. Je pense qu'il vous fait des cachotteries...

Une énorme voix s'éleva alors dans notre dos pour nous faire tressaillir.

— Je t'en ferai voir, moi, des cachotteries ! tonna-t-elle.

Nous nous retournâmes d'un même mouvement. C'est là que nous vîmes Joseph, les bras croisés sur le thorax. L'hypocrite s'était caché derrière le banc pour nous épier. Il n'était pas parti comme le lui avait ordonné sa tante ; il nous avait suivis après avoir garé sa voiture un peu plus loin. Le mastodonte me fusilla des pupilles. Le sang ne fit qu'un tour dans mes veines. N'écoutant que mon courage (après tout, que pouvait-il advenir de moi si j'étais avec Exilda ?) et ignorant l'intimidation, j'accusai Joseph haut et fort en le pointant du doigt :

— Vous aviez déjà vu cette lettre avant d'aller chez Eaton !

Et toc !

13 Le neveu passe aux aveux

D'abord, le chauffeur nia tout. Puis, devant le regard courroucé d'Ex qui n'était pas dupe, il dénoua sa cravate. De grosses gouttes de sueur perlaient sur son front immense. Sa vieille tante, qu'il dépassait pourtant de trois têtes, l'attrapa par une oreille.

— Je te connais comme si je t'avais tricoté, Joseph Lacasse ! le houspilla-t-elle. Je veux la vérité, tu m'entends ? Toute la vérité !

— Ouille ! Ouille ! Lâche-moi, ma tante ! je vais tout avouer !

La scène était cocasse, certes, mais tout de même un peu tragique. Le colosse n'était plus qu'un bambin qu'on réprimande.

Penaud, il baissa la tête en frottant son lobe endolori.

— C'est vrai, j'ai rencontré le professeur Dandurand quand j'étais petit, finit-il par admettre.

Ex lui releva le menton :

— Pourquoi ne m'as-tu rien dit, dans ce cas ?

Joseph se tordit les mains, osant enfin affronter le regard désapprobateur de sa tante.

— Tu es la personne que j'aime le plus sur cette terre, ma tante, soupira-t-il d'un air misérable. Je ne voulais pas te causer de tourments inutiles. Je ne voulais surtout pas que ces trois garnements te fassent du mal avec la lettre. Tu as déjà assez souffert comme ça.

De toute évidence, Ex le crut, contrairement à moi. Mais il n'allait pas s'en tirer à si bon compte, le Jojo à sa *ma tante*. Je revins à la charge, un peu méchamment sans doute, mais certain de la justesse de mon intuition.

— Vous saviez depuis longtemps que votre oncle Ozias était mort ! l'accusai-je.

Le géant se détourna de nous, le visage penché sur ses chaussures. Je ne lui voyais plus qu'un œil et la moitié de sa grosse face de lune. À présent, seule sa voix pourrait me révéler s'il mentait.

— Oui, mais ça m'a pris des années à le comprendre. Le timbre de George V collé à l'envers, l'écriture si laide de mon oncle Ozias... Quand j'ai revu cette enveloppe chez Eaton, ça a ravivé des souvenirs que j'aurais voulu oublier, admit-il d'une voix lointaine et méconnaissable.

Il se laissa tomber sur le banc, le regard fixe.

— J'avais huit ans, commença-t-il. J'habitais avec ma tante Ex et son mari depuis peu, c'est-à-dire depuis l'horrible décès de mes parents dans un accident ferroviaire. J'étais révolté ; je n'acceptais pas leur mort. Je ne voulais surtout pas de nouveaux parents, aussi gentils soient-ils. Ce matin-là, j'étais seul à la maison. Ma tante s'était absentée quelques minutes pour aller acheter je ne sais quoi au magasin général du coin. Mon oncle Ozias, lui, était parti en voyage. On a sonné à la porte. J'ai ouvert. C'était un étranger, un grand jeune homme que je n'avais jamais vu.

Nous l'écoutions en silence, conscients de la gravité des mots qui se jouaient sur ses lèvres charnues, hébétés par la souffrance qu'ils y faisaient naître. Sans que nous nous en rendions compte, notre petit cercle d'auditeurs se refermait avec lenteur autour de lui.

— « Ta maman est là ? » m'a demandé l'inconnu en exhibant une lettre sous mon nez. J'ai dit non, bien sûr, car personne ne pouvait remplacer ma vraie mère, celle qui venait de disparaître pour toujours, celle que j'adorais. Maman n'était pas là, elle ne serait plus jamais là, elle était au ciel. J'ai donc répondu non. « J'ai une bien mauvaise nouvelle à t'annoncer, mon bonhomme, m'a-t-il dit. Ton papa est mort. » Je lui ai répondu que je le savais déjà et je lui ai donné un bon coup de pied dans les jarrets. L'homme avait l'air surpris. Il a tourné les talons, puis il est revenu me déposer l'enveloppe dans la main. « Remets-la quand même à ta maman », a-t-il dit.

Joseph laissa fuser un interminable soupir. Malgré le chat qui lui grattait la gorge, il poursuivit vaillamment son récit :

— À huit ans, j'étais bien trop jeune pour déchiffrer l'écriture barbouillée sur l'enveloppe ou pour comprendre ce qui se passait vraiment... Le jour même de cette visite, j'ai caché l'enveloppe sans l'ouvrir au fond du sac de postier de mon défunt père (papa était facteur). Puis, caché dans la charrette du laitier, je me suis rendu jusqu'à l'édifice le plus haut que j'ai vu sur mon chemin. Je suis monté au dernier étage et j'y ai abandonné le sac dans une caisse. J'étais convaincu que maman, du ciel, viendrait le chercher.

— Tu ne m'avais jamais raconté ça, murmura Exilda, en essuyant la larme qui zigzaguait sur la grosse joue de son neveu.

— Nous avons trouvé le sac au sixième étage de la Sun Life, tins-je à préciser.

— J'avais tout oublié de cette histoire jusqu'à ma majorité, renchérit le chauffeur. Le souvenir de cette lettre est réapparu précisément le jour de mes vingt et un ans, alors que je m'étais rendu chez le notaire pour signer un document libérant Ex de sa charge de tutrice vis-à-vis de moi. Une espèce de lettre de libération, m'a expliqué le notaire. Je me suis alors souvenu de cette lettre de mon enfance qu'un inconnu m'avait livrée, avec le timbre collé à l'envers. J'ai compris qu'elle n'était pas destinée à maman, mais à Ex. Elle n'annonçait pas le décès de papa, mais bien celui de mon oncle Ozias.

— Pourquoi ne m'as-tu rien dit, mon Jojo ? demanda sa tante. Tu as presque vingt-six ans maintenant.

— Quand, dix-sept ans plus tard, j'ai à peu près compris ce qui s'était passé, ça ne me servait plus à rien d'essayer de retracer le sac de papa. D'ailleurs, je n'arrivais même plus à reconnaître la devanture de l'immeuble où je l'avais caché ! Comme je n'étais sûr de rien, que je ne détenais aucune preuve, je me suis tu. Je t'aimais trop pour te faire souffrir inutilement...

Une grosse larme roula sur sa joue. Exilda caressa la tête chauve de son neveu.

Je fis un clin d'œil à Adrien, le premier clin d'œil que je réussissais enfin à faire sans fermer les deux yeux à la fois. C'était mission accomplie, chef.

Ce jour-là, Ex et Jos prirent congé de leur travail. Notre journée se termina à l'oratoire Saint-Joseph où, après avoir gravi le long escalier à genoux, Ex et Jos firent brûler deux grands lampions cramoisis. Le premier fut allumé à la mémoire de leur cher Ozias. Le second le fut pour notre petite Rita.

— La fumée, c'est l'âme qui monte au ciel, me chuchota Jos. Ta sœur t'a pardonné, petit, n'en doute pas.

Véridiques ou non, ces paroles me réconfortèrent un peu. Mais j'aurais tellement aimé que Rita, où qu'elle soit, me le dise elle-même ! Un petit bruit strident capta soudain mon attention. Baissant les yeux, j'aperçus par terre, juste à mes pieds, une minuscule cigale. Adrien, qui la vit aussi, me dévisagea avec étonnement. La même pensée nous traversa l'esprit : un insecte dans un endroit pareil, c'était inimaginable ! Ça ne pouvait donc être que la petite cigale de la famille Farineau qui nous faisait signe. C'est-à-dire Rita. Je compris alors que ma petite sœur m'avait pardonné.

Je pris avec délicatesse la cigale dans le creux de ma main, comme je l'aurais fait avec une fleur. Mon cœur battait à se rompre dans mes tempes. L'insecte ne chercha pas à s'enfuir. Et lorsque je l'eus libéré sous un arbre quelques minutes plus tard, son chant plein de trilles m'emplit de bonheur. J'eus beau par la suite tenter de le retrouver, il avait mystérieusement disparu.

Au moment où nous quittions l'oratoire Saint-Joseph, mon frère constata que certains pèlerins étaient montés sur le toit plat du bâtiment religieux afin de mieux voir la construction naissante de la nouvelle chapelle.

— Tu montes? proposai-je à mon jumeau.

— Tu parles! gloussa Adrien. En haut, nous trouverons peut-être une autre lettre! Dernier rendu, c'est lui qui pue...

Je m'y dirigeai d'un pas tranquille.

14

Rita seconde

Peu de temps après, maman donna naissance à une belle fille robuste, aussi rousse que notre père. Comme le voulait l'usage, mes parents lui donnèrent le prénom de Rita, persuadés que cette enfant saurait les consoler de la perte de la première.

C'était somme toute une tradition assez lugubre, mais je dus admettre que, dans ce cas bien précis, papa et maman n'avaient pas tort. Le bébé avait en effet une bien étrange tache de naissance sur le haut du crâne, une tache qui ressemblait à s'y méprendre à celle qu'aurait laissée un déferlement d'huile... Bref, si personne n'en parla ouvertement, je crois que chacun des membres de notre famille était convaincu du retour de Rita première parmi nous.

C'est donc par un dimanche ensoleillé de septembre, soit trois jours après la naissance de ma nouvelle sœur, que nous nous rassemblâmes avec parents et amis (ceux-là mêmes qui nous avaient visités lors des funérailles) dans l'église du quartier pour la cérémonie du baptême.

Toutefois, deux nouveaux invités nous honoraient aujourd'hui par leur présence. Il s'agissait bien sûr d'Exilda Blanchette et de son neveu Joseph, qui revenaient tout juste d'un voyage en autocar dans la région du Bas-Saint-Laurent. J'aurais bien aimé moi aussi voyager avec la Compagnie de transport provincial, qui offrait le dernier cri en matière de transport moderne. Ils avaient fait le trajet en compagnie d'Omer Dandurand. Le trio s'était rendu là-bas pour commémorer le décès d'Ozias, le naufrage s'étant produit un peu à l'est de Rimouski. Après avoir présenté ses excuses et ses condoléances à Ex et à Jos, l'égyptologue s'était senti quelque peu libéré du poids de la malédiction de la momie. Le voyage allait le guérir une fois pour toutes de ses vilaines phobies.

Je remarquai sur l'autre banc, non sans amusement, la petite cour empressée que pépère menait auprès de notre nouvelle amie. Il l'avait débarrassée de son manteau, lui avait apporté un livre de prières, se suspendant à ses lèvres comme si elle avait été la princesse d'Angleterre en personne. Bref, il ressemblait à une guêpe qui tourne autour d'un pot de sirop d'érable Grimm ! Coincé sur le premier banc d'en avant avec ma famille, je retins un ricanement. Adrien me poussa du coude :

— Bzzz... imita-t-il.

— Ça suffit ! gronda papa.

Je pouffai de rire. Je n'avais pas perdu mon frère, comme je l'avais tant craint. Chaque soir, dès que se terminaient mon école et son université, nous nous retrouvions autour de la table pour nous raconter les bévues de la journée. L'année scolaire serait longue, certes, mais nous passerions au travers pour en ressortir plus forts encore. Mes cauchemars s'espaçaient, se faisant de plus en plus rares.

La voix tonitruante de l'orgue nous fit sursauter. Mes parents rejoignirent le prêtre devant l'autel. Dans les bras de maman, le bébé, vêtu d'une robe de soie blanche, gazouillait de plaisir. Comme Rita était belle ! Le curé demanda à papa de lui désigner les parrain et marraine qu'on allait attribuer au nouveau-né.

— Ma sœur Fleur-Ange a accepté de nous servir de marraine, annonça mon père.

— Et le parrain ?

— Si monsieur le curé le permet, notre Julien fera quant à lui un excellent parrain. Mon gars n'a que douze ans mais il est intelligent, drôle, travaillant, débrouillard...

Mon père dut s'interrompre dans sa nomenclature, sa voix s'étant soudain enrouée comme le moteur de la vieille Ford modèle T de grand-papa.

— Hum, pardon, j'ai une poussière dans l'œil, grogna-t-il en sortant son mouchoir.

Il fit sans le vouloir un grand bruit de trompette en se mouchant et tout le monde applaudit. J'étais devenu plus écarlate encore qu'une écrevisse. Une chaleur m'avait envahi la poitrine pour monter à ma tête.

— Excellent choix, dit à son tour Adrien, installé à côté de moi.

Il me tapota l'épaule, un sourire fendu jusqu'aux oreilles. Je savais bien qu'il n'existerait jamais aucune jalousie entre nous, mais je songeais que c'était à lui qu'on aurait dû attribuer le parrainage du bébé, pas à moi. Après tout, c'était lui qui allait à l'université. De nous deux, ce serait lui le plus instruit. Comme d'habitude, mon jumeau lut dans mes pensées.

— Tu le mérites, mon frère, affirma-t-il en souriant. Mon tour viendra bien, allez !

Le trille d'une cigale s'éleva à ce moment dans l'église, venant de je ne sais où. Une bouffée d'émotion m'enserra la gorge. Je cherchai spontanément le regard de papa, assis à l'autre extrémité du banc. Il me contemplait, ému, des poussières plein les yeux.

Table des matières

L'Affaire von Bretzel
Lili Chartrand

Alias agent 008
Alexandre Carrière

Le Calepin noir
Joanne Boivin

Clovis et le Grand Malentendu
Mireille Villeneuve

Clovis et Mordicus
Mireille Villeneuve

Le Congrès des laids
Lucía Flores

Destination Yucatan
Alexandre Carrière

Drôle de vampire
Marie-Andrée Boucher Mativat

L'École de l'Au-delà
1. L'Entre-deux
2. Le Réveil
Lucía Flores

L'Énigme du sommet Noir
Lucia Cavezzali

La Fenêtre maléfique
Sylvie Brien

Fierritos et la porte de l'air
Lucía Flores

Le Fou du rouge
Lili Chartrand

L'Idole masquée
Laurent Chabin

M comme momie
Sylvie Brien

Mission Cachalot
Lucia Cavezzali

Mon royaume pour un biscuit
Francine Allard

Le Mystère du moulin
Lucia Cavezzali

Opération Juliette
Lucia Cavezzali

Pas de pitié pour la morue !
Pierre Roy

La Planète des chats
Laurent Chabin

La porte, les mouches !
Mireille Villeneuve

Le Sortilège de la vieille forêt
Ann Lamontagne

Le Trésor de Mordicus
Mireille Villeneuve

Une course folle
Cécile Gagnon

Une tonne de patates !
Pierre Roy